千葉都民のまちを歩くと

荒木 知 SATORU ARAKI

知道出版

はじめに

『千葉都民のまちを歩くと』という書名を付けることになりました。千葉県と言っても東京都に隣接しており、千葉県ならではの個性や県民性を想像するのは難しいと思います。千葉県の中でも直接東京二十三区に接する北西部は、さらに個性が思い浮かばないでしょう。ただ、本当に東京郊外にはこれといった特徴がないのでしょうか。

この本の趣旨は、市川市や船橋市といった千葉県北西部、千葉県では東葛や葛南とも呼ばれる地域について、東京二十三区の各区をそれぞれ解説した泉麻人『東京23区物語』（一九八五年）をモデルにしたエッセイを意図しています。各市を実際に歩いてみることによって、この地域及び住民にどのようなアイデンティティがあるのか考えてみたいと思います。

東京都に隣接する千葉県の東葛あるいは葛南地域は、明治時代以降東葛飾郡と呼ばれていました（今は東葛飾郡に属する町村は存しません）。そのため、「旧東葛飾郡を歩くと」といった題名も考えられましたが、旧東葛飾郡では恐らく千葉県出身、あるいは住んでいる人以外、どこなのかイメジがわかないでしょう。葛飾という地名は、多くの人は東京都葛飾区を思い浮かべるのではないでしょうか。

他方、千葉県北西部は、東京都に通勤、通学するいわゆる「千葉都民」と呼ばれる者が多く住む地域です。この「千葉都民」の特徴として、東京に目が行き、住んでいる千葉県にあまり関心を払わないとも言われています。

筆者自身が千葉県出身ではない千葉都民ですが、このように、泉麻人の『東京二十三区物語』やテレビ東京の『出没！アド街ック天国』のように細分化した関心を払われる東京と違い、足元への関心が薄いとされる「千葉都民」が多く住む千葉県北西部についてスポットライトを当てようというのが本書の趣旨です。

千葉県は、兎角東京の郊外という位置付けで語られています。これは鉄道の高速化や日本住宅公団等による住宅団地の造成が進行した一九六〇年代からではなく、江戸時代からでしょう。武光誠『県民性の日本地図』（二〇〇一年）は、千葉県を含む南関東が早い時期から江戸文化圏の外れといった位置をとるようになった理由として、江戸周辺の譜代大名は小大名が多く、また、江戸への中央志向が強く、独自の地域色が生まれる余地が少なかったことを挙げています。

確かに強い地域色を持つ地方は、少なくとも江戸時代からの城下町であることが多いです。千葉県域で最大の大名は幕末に十一万石であった佐倉藩です。佐倉は千葉県の県庁所在地の候補であったようですが、県庁は千葉氏ゆかりではあるものの江戸時代には城下町でなかった千葉市に置かれています。千葉県という単位にヴィヴィッドな色がないのもこのような歴史的背景が下地にあります。

　しかしながら、人が住む街には必ずそれぞれの歴史があります。例えば、典型的東京郊外である市川市は下総国の国府所在地でした。特色がないのではないかと思われている東京都に隣接する旧東葛飾郡を市ごとに観察することにより、地域、さらにはそこに住む人の個性、アイデンティティを掘り起こしたいと思います。

　本書出版の機会を与えてくれた㈱知道出版の鎌田順雄及び奥村禎寛両氏と、土日の近郊の街散策に理解を示してくれた妻と娘に感謝します。

荒木　知

（＊本文中のカタカナはイギリス英語の発音に近づけて表記しています）

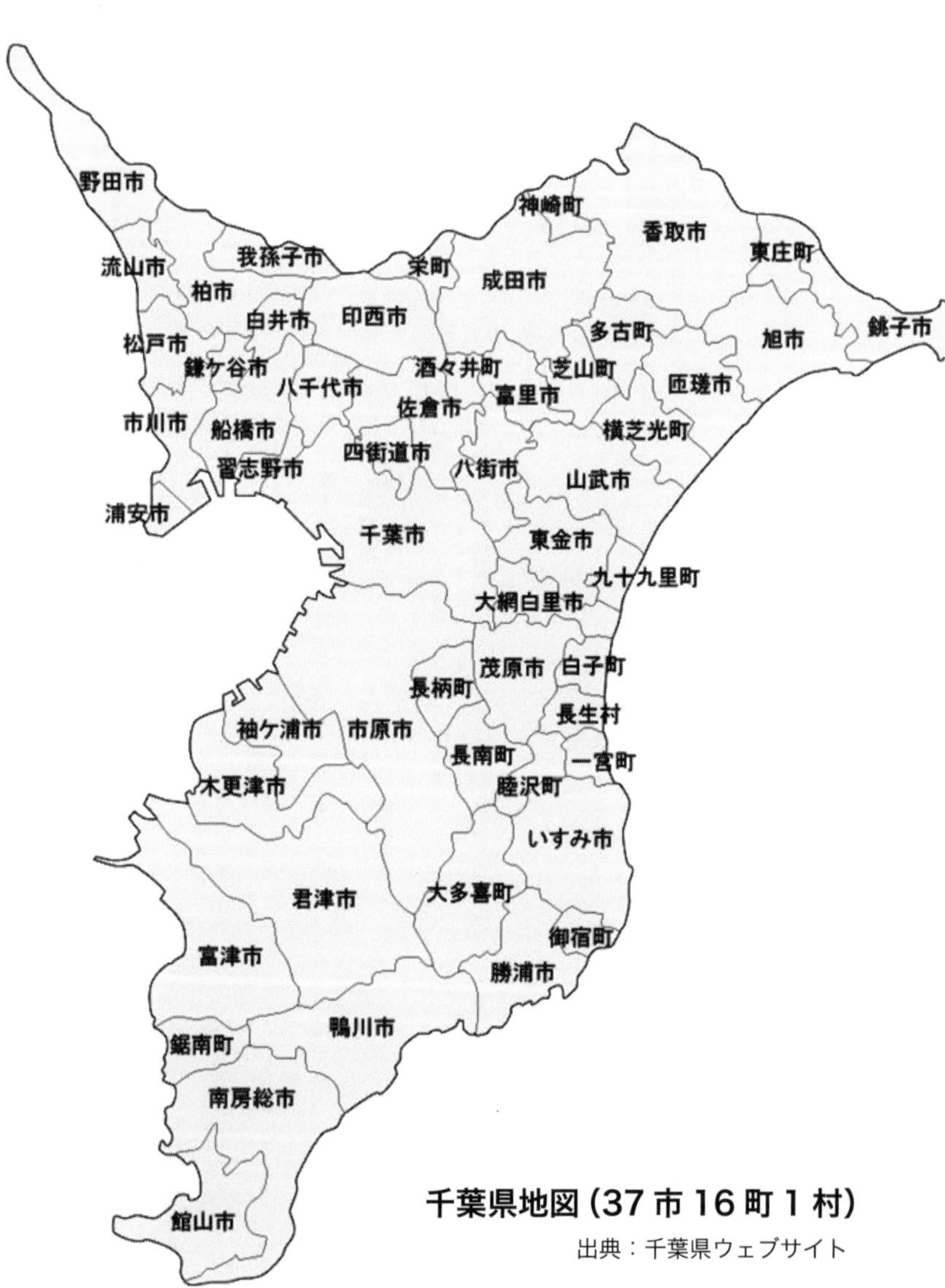

千葉県地図（37市16町1村）

出典：千葉県ウェブサイト

千葉都民のまちを歩くと　◎目次

旧東葛飾郡とは―その成立史

まず、「はじめに」で触れた旧東葛飾郡とは何でしょうか、あるいはどこでしょうか。端的に言えば、千葉県北西部の東京都に隣接している地域です。

具体的な市名としては市川市、船橋市、松戸市、野田市、柏市、流山市、我孫子（あびこ）市、鎌ケ谷（かまがや）及び浦安市が東葛飾郡に属していた地域です。そのうち我孫子市については、元々南相馬郡であり、一八九七（明治三〇）年に東葛飾郡に編入されています。

千葉県を区分する際に、この旧東葛飾郡を東葛（とうかつ）地域と呼ぶことがあります。そういう意味では「旧東葛飾郡」ではなく「東葛地域」という言い方でもいいのですが、現在の千葉県ではＪＲ東日本の総武線（及び京葉線）と常磐線とで生活圏が分かれています（江戸時代から水戸街道と佐倉〈成田〉街道とで分かれてはいましたが）。

東葛というと、松戸、柏の常磐線沿線地域が連想されるのでないでしょうか。千葉県立東葛飾高校は柏市にあります。他方、市川市、船橋市など、総武線沿線地域は「葛南」と呼ばれているようです。

「南葛」というと、漫画「キャプテン翼」での地名、チーム名で登場するように、東京都葛飾区の南部が想像されます。もっとも、「キャプテン翼」では静岡県南葛市という設定のようなのですが（漫画の遠景に山が描かれています）、作者は葛飾区出身です。

千葉県庁の組織でも、二〇〇四年までは松戸市に東葛飾支庁が置かれ、市川市、船橋市、松戸市、野田市、柏市、流山市、我孫子市、鎌ケ谷市、浦安市及び東葛飾郡（関宿町及び沼南町）を管轄していたようですが、現在は東葛飾庁は分割され、松戸市に置かれた東葛飾地域振興事務所が松戸市、野田市、柏市、流山市、我孫子市及び鎌ケ谷市の六市を管轄し、船橋市に置かれた葛南地域振興事務所が船橋市、市川市及び浦安市の旧東葛飾郡の市及び元々は千葉郡であった習志野市及び八千代市を管轄しています。

明治時代以降、東葛飾郡に郡役所を置く松戸が行政の拠点ではあったのですが、常磐線と総武線（及び京葉線）とで生活圏が分かれる中、行政の拠点も北部と南部とで分けた方が県民サーヴィスの面からも現実的であるからでしょう。

千葉県に限りませんが、東京や大阪への通勤・通学の鉄道路線を中心に生活圏が形成され、同じ県内であっても、違う鉄道路線の地域にはほとんど行く機会がないという方も多いでしょう。千葉県の場合、常磐線と総武線（及び京葉線）との間の「タテ」

の移動は新松戸と西船橋間の武蔵野線等を使ってできるのですが、面倒という感覚は否めません。特に、南部の葛南から北部の常磐線沿線への移動は柏レイソルの応援とかでしょうか。

それでも先日京葉線に乗ったら〝KEIYOTEAM6〟というキャンペーンで、ジェフユナイテッド市原・千葉を含む京葉線沿線のスポーツチームを応援していました（ジェフユナイテッド市原・千葉のスタジアムの最寄り駅は京葉線蘇我駅です）。フットボールでも常磐線と総武線・京葉線間とで分かれているようです。ただ、本書では現在葛南と呼ばれている地域も含めた旧東葛飾郡が東京に隣接する一つの地域であったことを踏まえて、北の狭い意味での東葛と葛南の両方をカヴァーしたいと思います。

本題である旧東葛飾郡とは、という問いに戻ります。

まず、「旧」と付いています。従って、東葛飾郡は現在存在していません。郡は郡に属する町村が消滅すると郡の名称もなくなるようですが、東葛飾郡が消滅したのはそれほど昔ではありません。二〇〇五（平成一七）年に東葛飾郡沼南町（柏市の東南にあり、手賀沼（てがぬま）を挟んで我孫子市と向かい合っていました）が、柏市に編入されたことで東葛飾郡に属する町村はなくなっています。

では次の問いは、「東」葛飾郡と「東」がついているが、ということは葛飾と呼ばれる地域があるのではないか、という点です。

その通り葛飾と呼ばれる地域があります。葛飾というと多くの人は東京都葛飾区を思い浮かべると思いますが、葛飾とは東京都葛飾区だけではありません。

葛飾は古代からの地名で下総国に葛飾郡が置かれていました（当初は葛餝（かとしか）と読んだようです）。旧下総国も広い地域です。千葉県は旧国名でいうと上総国、下総国及び安房国の三か国で構成されていますが、下総国は単に千葉県北部ということではありません。今は、千葉県北部は利根川及び江戸川という川を県境にしているためわかりやすいですが、下総国は利根川及び江戸川を超える範囲に広がる大きな国でした。

下総国葛飾郡についても、現在の千葉県の範囲のみならず、現在の東京都、埼玉県及び茨城県に跨（またが）っていました。東京都については、現在の葛飾区及び江戸川区に加え、墨田区の東側（旧向島区）及び江東区の東側（旧城東区）が下総国葛飾郡でした（元々武蔵国ではありませんが後述するように武蔵国に編入されています）。

埼玉県では、江戸川沿いの下流の三郷市から利根川と、江戸川の分流地点からやや上流の久喜市までの細長いエリアが元々の葛飾郡です。茨城県でも茨城県西端で利根川に面している古河市周辺が葛飾郡になります。

現在の四都県に跨る下総国葛飾郡の中でも、現在茨城県の古河は戦国時代に重要な役割を果たしています。室町時代には関東地方を管轄する政治組織として鎌倉に足利将軍家の鎌倉公方が置かれていました。十五世紀の応仁の乱と同時期の享徳の乱により、鎌倉公方は室町幕府及び関東管領上杉家と対立し、一四五五（享徳四）年に関東公方（くぼう）足利成氏（しげうじ）は本拠地を鎌倉から下総国古河に移しました。古河に本拠地を置いて以降は古河公方と呼ばれています。

下総国をはじめ、下野国及び常陸国といった関東東部を勢力圏とする古河公方と、武蔵国、上野国及び相模国といった関東西部を基盤とする関東管領上杉氏は、利根川及び江戸川を境に関東を二分して対立していました。戦国時代においては下総国古河が関東における主要政治拠点の一角であった訳です。

結果的には、伊豆・相模から勢力を伸ばした北条氏が関東管領上杉氏に取って代わり、古河公方は北条氏の勢力下に組み込まれていきましたが……。

戦国時代の下総国葛飾郡について先に紹介しましたが、古代の下総国の設置以来、その国府は葛飾郡、今の市川市のその名の通り国府台（読み方は「こうのだい」）に置かれていたとされています。葛飾郡は現在の千葉県北部の下総国の古代よりの政治的中心でもありました。

江戸時代初めにも葛飾郡に動きがありました。葛飾というと多くの人は東京都葛飾区を思い浮かべます。元々の下総国葛飾郡が千葉県と東京都に分かれていることになります。

江戸時代初めの十七世紀に、葛飾郡の江戸川より西の地域、今の葛飾区や江戸川区などが下総国から武蔵国に編入され武蔵国葛飾郡になっています。この編入がなかったら今の皇居、旧江戸城は下総国とのほぼ国境に位置していることになります。

実際に江戸城は、先に触れた十五世紀の享徳の乱と古河公方の成立に際し、下総国の古河公方方の勢力に対峙する関東管領上杉氏方の拠点の一つとして太田道灌により設けられています。

墨田区に両国という地名がありますが、武蔵国と下総国の二つの国に跨る意味から両国とされています。また、葛飾区や江戸川区などの東京二十三区東部が元々下総国であったことを示すようすがに香取神社があります。

下総国の一宮は、千葉県香取市にある香取神宮であり、利根川及び江戸川沿いには香取神宮を総本社とする香取神社が多くみられ、例えば、葛飾区亀有にも亀有の鎮守である（亀有）香取神社があります。

明治維新を経て旧下総国を管轄する葛飾県が一八六九（明治二）年に設置され、県庁は葛飾郡加村（現在の千葉県流山市）に置かれます。県名は葛飾郡から採られました。葛飾県は二年後の一八七一（明治四）年には印旛県に改組されました。印旛県の県庁は葛飾郡本行徳村（今の市川市）や再度葛飾県庁であった葛飾郡加村などに置かれています。

その後、一八七三（明治六）年六月一五日に印旛（いんば）県は、旧上総国及び安房国を管轄する木更津県と合併して千葉県が誕生し、県庁所在地は両県の境に近いということから千葉郡千葉町（現在の千葉市）になりました。

ちなみに六月一五日は、千葉県の誕生にちなみ千葉県民の日とされています。

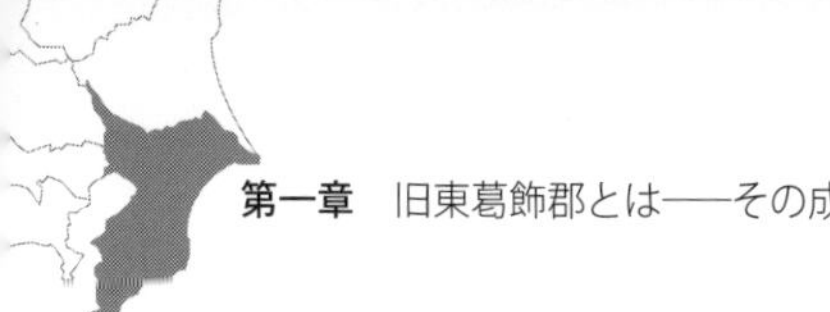

明治維新から千葉県成立までの間に、葛飾郡が重要な役割を果たしています。千葉県域では佐倉が十一万石の城下町として有力な拠点だったのですが、すんなりと県の中心にはならなかったようです。

千葉県発足後、利根川や江戸川をまたいでいた葛飾郡の地域は、茨城県や埼玉県に移管され、利根川や江戸川が千葉県の県境になります。現在千葉県の県境がきれいに川になっているのはこのときの移管によります。

一八七八年（明治一一）年には、千葉県葛飾郡の区域が東葛飾郡とされます。今の地名では市川市、船橋市、松戸市、野田市、柏市、流山市、鎌ケ谷市及び浦安市が当初の東葛飾郡の範囲でした。郡役所は松戸町に置かれています。

元々、現在の利根川及び江戸川の両岸をカヴァーする広い地域であった下総国葛飾郡が、今の千葉県、東京都、茨城県及び埼玉県に分割され、東側の千葉県における地域を東葛とするのはここから始まっています。前述したように現在は東葛飾郡に属する町村はありませんので旧東葛飾郡ということになります。

千葉県の県民性と千葉都民
そして旧東葛飾郡

第一章では地域の歴史について述べましたが、地域には人が住んでいます。そしてその人が地域の個性を作ります。

人が大阪や福岡のような地域、あるいはフランスやアメリカのような国について語るとき、地理的なもの、観光地、あるいは食事のみならず人の気質について触れることが多いと思います。勿論人間ということが共通しているので、日本国内、あるいは世界の他の国であっても、人間が根本的に違うということはないのですが、それでも人間の気質あるいは文化の違いについては、少しの違いであっても「へー、土地が違うと人も違うのだな」と印象に残るものです。

日本の四十七都道府県の県民性に関して論じた本はかなりあります。四十七都道府県といっても、規模や歴史的成り立ちが異なり、同じボリュームで語るのは難しいのではないかと思います。前述した大阪や福岡のような輪郭のはっきりした地域は語りやすいのでしょうが、「千葉県」となるとどうでしょうか。

武光誠『県民性の日本地図』(二〇〇一年)では、一言で表した千葉県の県民性を「明るく楽天的で、熱しやすい」としています。山下龍夫『47都道府県ケンミン性の秘密』(二〇一四年)でも「大らかで楽天的」との同様の表現があります。他方で武光誠は、

同時に千葉県だけでなく、埼玉県及び神奈川県も含めて関東地方南部の住民の気質について、「東京のそれに近い」とし、千葉県についても東京志向の強さを指摘しています。

古い本ですが祖父江孝男『県民性』（一九七一年）は、千葉の県民性について、郷土意識が弱く、「県民性といわれ得るがごとき特色が育たなかった」と論じています。享楽的な面と個性がないという面、二つの指摘をどのように考えればいいのでしょうか。

筆者の感覚でも、大阪っぽいな、とか福岡っぽいな、と感じることはあっても、千葉っぽい、特に他の関東、東京の住民と違う千葉県民らしさ、を感じることはほとんどありません。強いて言えば食の好み、落花生や梨（千葉県南部であればビワかもしれません）を好むとかでしょうか。

筆者は直接の接点はありませんが、テレビなどでは東京を離れて房総の海岸でサーフィン、民宿などを生活の中心にする人や、あるいは漁業関係に携わっているお宅の魚を中心とした食卓の様子が紹介されることがあり、こういうライフスタイルは千葉らしいな、と感じます。筆者はゴルフはしませんが、千葉県に住んでいるというと、ゴルフはしないのですか、と聞かれたことがあります。

総務省統計局による社会生活基本調査（二〇一六年）によれば、ゴルフに係る都道府県別行動者率（十五歳以上）、一年間の間にゴルフを行ったかどうかでは、千葉県の行動者率は一〇・五パーセントで全国一位（ちなみに二位は茨城県の一〇・四パーセント）であり、実際にゴルフは千葉県の特徴の一つと言えると思います。

ただ、やはり千葉県民としての特徴の薄さ、これについては祖父江孝男『県民性』は、江戸時代に小藩と天領に細分されていたこと、そして小藩であったため、それぞれの地域に強烈な伝統が育たなかったことを背景として指摘しています。

武光誠『県民性の日本地図』ではさらに、江戸時代以前について、千葉を含めた関東地方南部において、「長期にわたってその地域を一つにまとめる勢力が出なかった」とした上で、「独自の地域性が生み出される前に、関東地方南部は江戸文化圏にくみ入れられてしまった」と論じています。

江戸時代以前に現在の千葉県にも有力な武将がいました。下総の千葉氏、上総の武田氏、安房の里見氏、また、千葉県ではないですが現在の茨城県古河市に第一章でも紹介した古河公方などがそうです。ただ、例えば新潟県では上杉氏が江戸時代は新潟

県（越後国）にいなかったにも関わらず新潟県のシンボルのような存在になっているのに比べると、地域の気風に長期に渡って影響を与えたとは言えないように思われます。武光誠はこの事情を、「その地域の村落の領主である中小武士団の独立性は高く、千葉家などは国内の武士から、国衙（こくが）を介した朝廷との交渉役を委任された立場にすぎなかった」としています。

千葉氏が下総を代表する武将であることは間違いないでしょうが、下総の広い範囲に千葉氏色があるかというとそうではないようです。もっとも、千葉市の熊谷市長は、千葉市が千葉氏が十二世紀に現在の千葉市に居城を構えたことに由来する歴史を重視し、千葉氏ゆかりの自治体と協力した千葉氏サミットといった活動を行っているようです。

中世以来の房総の武将は豊臣秀吉の北条氏に対する小田原征伐でほとんど没落し、徳川家康が江戸を中心に関東を統治することになります。関東周辺の徳川譜代大名は小規模な藩が多く（房総で最大の大名は幕末で十一万石であった佐倉藩）、かつ江戸を向いた中央志向が強かったため、房総独自のものは生まれにくく、房総を含む関東南部は早い段階から江戸文化圏の外れといった位置をとるようになっています。

江戸時代について祖父江孝男は、房総の土地の「殿様有難し」とする保守性、穏健性から、百姓一揆がはなはだしく少なかったことを指摘しています。「上総奉公」という言葉もあり、江戸に出てお邸や大店(おおだな)に奉公することから体制に順応する気質が強かったのだと考えられます。

こうして見ると、千葉県民としての県民性の薄さは、少なくとも江戸時代、いやそれ以前の中世における武家の特質に由来していると言えるのではないでしょうか。

他方で、千葉の県民性のもう一つの特質、あるいは個性らしい個性として、楽天的、享楽的といったものがあります。これは海洋国としての房総、千葉の側面を表すものでしょう。房総半島は陸上交通の観点から見ると行き止まりという感がありますが、古代以来房総半島は海の道で外部と繋がっていました。石井・宇野編『千葉県の歴史』(二〇〇〇年)でも、「外洋に面した半島はかえって海流による漂着などで外来文化が渡来してくる窓口となり、外に向かって開かれた場所でもあった」点を指摘しています。

房総を代表する人物の一人である日蓮は、「安房国長狭郡東条郷片海の海人(あま)が子也」

（本尊問答鈔）であり、漁民の出身と考えられています。源頼朝も、（創作ですが）曲亭馬琴の南総里見八犬伝での里見義実も、戦に敗れて海路で相模三浦半島から安房に移っています。

長嶋茂雄も千葉県を代表する人物であり、日蓮と同様、「カリスマ性と型破りな人柄で知られ」、「南国気質に通じるものがある」（山下龍夫『四七都道府県ケンミン性の秘密』（二〇一四年）とされていますが、海の出身ではなく佐倉市の出身です。

房総半島という行き止まりの土地のイメジのある千葉県ですが、黒潮の海流を通じ、関東だけでなく太平洋側の他の地域と関係を持っています。銚子の醤油も摂津や紀伊からの人と技術により始まっています。房総の「勝浦」や「白浜」という地名は和歌山県（さらには徳島県や高知県）にもあります。

筆者は直接耳にしたことはありませんが、銚子では「オーキニ」という近畿の言葉があるそうです（佐藤亮一編『全国方言辞典』（二〇〇九年）。祖父江孝男も千葉県の県民性の薄さを指摘すると同時に漁村のもつ特色や海人の存在について触れており、武光誠も「千葉県の明るく熱しやすい気質は和歌山県からもち込まれたのではないか」としています。

千葉県の県民性についてまとめると、歴史的に江戸の延長線上で発展してきた千葉県には、東京あるいは関東の他の県と一線を画すような「濃い」県民意識はないというのが基層であると考えられます。その上で、それでも千葉県民ならではの個性はないのかというと、とりわけ房総南部の海の文化でしょう。

実際に漁村ならではの文化・伝統がありますし、言葉遣いも海の仕事をしている人は異なっているのでしょう。収入が変動する面が多いこともあり、生活習慣も享楽的、楽観的になり易い面もあるのかもしれません。

千葉県は東京に隣接する旧東葛飾郡を含めた北西部に人口が集中しており、実際に海と日常的に接する生活をしている人はそこまで多くないのではないかと思います。千葉県の海面漁業生産量全国六位の漁業県ですが、海面漁業就業者数は四千人弱のようです（農林水産省『二〇一八年漁業センサス』）。とりわけ関東の他の県と比し、房総半島が海で囲まれている千葉県には海のイメジが強いのでしょう。

これに加え、千葉県には浦安市の東京ディズニーリゾートや富津市のマザー牧場、鴨川シーワールドといったレジャー施設、さらには船橋市のららぽーとＴＯＫＹＯ‐ＢＡＹ、千葉市のイオンモール幕張新都心といったショッピング施設が充実してお

り、千葉県民の遊び好きの印象を強めているのだと思います。

千葉県民の二面性は、東京の延長の個性のなさと南部を中心とした海洋文化から来る享楽性の他に、千葉都民かそうでない千葉県民か、という区分を行うことができます。

狭義の千葉県民には、千葉都民から見た言い方ですが、千葉原住民というあまりよくない表現もあります。千葉都民とは、千葉県に居住しながら都心に通勤・通学する人々をさします（鈴木ユータ編『これでいいのか千葉県』〈二〇一九年〉）。千葉県のデータによる東京都への通勤通学者比率（二〇一五年時点）では、浦安市が約四九パーセントと最も高く、市川市約四七パーセント、松戸市三六パーセントと東京都に隣接する三市を筆頭に、本書で紹介する旧東葛飾郡では多数の県民が東京都に通勤・通学しています。

千葉都民にそうでない千葉県民と違う特徴があるのでしょうか。

『これでいいのか千葉県』によると、「千葉県民意識が薄く千葉の事情に疎い」が千葉都民の特徴の一つとされています。千葉都民が多く住む旧東葛飾郡は、外から見ても、一般的に東京のベッドタウンとして特徴のない地域とみなされていると言えます（浦安市の東京ディズニーリゾートを除き）。

本当にそうでしょうか。

人の住むところそれぞれの歴史や特徴があるはずです。東京に職場のある千葉都民の方から見ても住んでいる地域の特徴に改めて気づいてもらえるように、次章では旧東葛飾郡を各市ごとに筆者自身が歩いて紹介したいと思います。

市川市—
下総国国府

旧東葛飾郡を構成する市の中で、初めに紹介するのは市川市です。なぜ市川市が一番初めなのでしょうか。

千葉県の各市町村に振られた市町村コードでは、市川市は千葉市及び銚子市に次いで三番目に来ます。そしてこの順番は、千葉県内における市制施行の順番でもあります。昭和九（一九三四）年に市川市は、東葛飾郡で初めて市制を施行しています。

市として歴史があるだけではなく、市川は古代からの歴史を誇っています。

現在の千葉県北部は下総国でしたが、その下総国の国府は現在の市川市でした。名前の通り国府台（こうのだい）という地名があり、ここに国府があったと考えられています。

他方で、市川市民は千葉県民ではなく、ほとんど東京都民だと考えている人が多いという指摘もあります（鈴木ユータ編『これでいいのか千葉県』〈二〇一九年〉）。

古代から下総国の政治的中心であったという歴史と、市民の千葉県民意識の薄さを併せ持つ市川市は、どのようなところなのでしょうか。

市川市は松戸市及び浦安市と並び、東京都と接している千葉県の市の一つです。江戸川区との間の間に流れる江戸川が江戸時代以来武蔵国と下総国の国境でした。

また、武蔵国と下総国を結ぶ道という観点からも、松戸市が水戸と江戸を結ぶ水戸街道における下総の玄関口であったのに対し、市川は佐倉ないし成田に向かう佐倉街道（江戸時代初めは佐倉街道でしたが、次第に成田街道と呼ばれるようになっています）における玄関口の役割を果たしていました。

現代ではＪＲ東日本総武線や国道14号線（千葉街道と呼ばれています）が千葉県と東京都（江戸川区）との境界を結んでいます。

東京都側から市川市に入ってみましょう。

京成本線に乗り江戸川駅を降りると、江戸川区北小岩になります。南の方に歩き江戸川河川敷に出ると「小岩市川の渡し跡・小岩市川関所跡」という案内板があります。江戸時代は江戸川に橋は架けられておらず、渡し船で行き来していました。電車で江戸川を渡るのに比して、船ならば国を越えた、という感が強かったでしょう。

河川敷から市川市方向を眺めると、左方には和洋女子大の茶色のキャンパスが目を引く国府台の緑のベルトが上流方向に連なっています。国府台はその名の通り国府のあった場所であり、旧下総国の東西に広く広がる関東有数の台地である下総台地の西南端にあたります。

台地の端というのは戦略的に重要な場所であり、江戸城は武蔵野の東南端に築かれています。国府台は国府としての機能を失った後も、戦国時代には相模、武蔵から勢力を伸ばす北条氏と房総の小弓公方足利氏（鎌倉─古河公方の一族です）及び里見氏との国府台合戦の戦場になっています（架空の合戦ですが江戸時代後期の曲亭馬琴『南総里見八犬伝』でも物語の最後の合戦は国府台が舞台の一つです）。

明治時代には陸軍の施設が置かれました。東京の東の防衛という役割もあったのでしょう。第二次世界大戦後は、前述した和洋女子大学や千葉商科大学が置かれ、文教地区となっています。

江戸川河川敷から南に行くと国道14号線（千葉街道）と市川橋があり、ここから市川市に渡ります。先程江戸時代に橋は架かっていなかったと言いましたが、ここに橋が架けられたのは明治時代に入ってすぐではなく、一九〇五（明治三八）年になってからだそうです。

市川橋を渡っていると、左手（北側）にヤマザキパン中央研究所の建物が見えます。山崎製パン株式会社は、市川市発祥です（現在の本社は千代田区）。

市川市側の河川敷でも市川橋のたもとの北側、つまり北小岩の案内板の向かい側に

「市川関所跡」の案内板があります。江戸時代には川を挟んだ一対（いっつい）で一つの関所を構成していたのでしょう。

東京都側と千葉県（市川市）側とで何かが違うのでしょうか。勿論、今は関所や渡し船はありません。毎日総武線で通勤している人たちは気に留めないかもしれません。それでも、江戸川は一級河川敏としての大きさがあります。筆者は、総武線を使って実際に通勤したことはありませんが、電車で渡っていても県境を今超えているな、という感覚は持ち得るのではないでしょうか。

もう一つ、江戸川以外に県境としての地理的特徴をあげるとすれば、江戸川の東京都側から市川（や松戸）の方角を望んだ際に見られる緑豊かな下総台地でしょう。とりわけ東京二十三区東部が低地であるだけに、下総台地西端が千葉県の風景を特徴づけていると思われます。

市川市国府台の下総総社跡の碑

市川橋を渡り、県道一号線（松戸街道）を北に行きます。京成本線を再度越え、国府台の坂を上ってゆくと、右手に千葉商科大学があり、その先には国府台公園とも呼ばれている「市川市スポーツセンター」があります。

この「市川市スポーツセンター」の付近に下総国国府があったとされていますが、明確な遺跡があるわけではありません。スポーツセンタの中に下総総社（六所神社）跡の碑が市川市教育委員会により建てられています。

総社とは、国内の神々を合わせ祀（まつ）った神社で、国府の近くに置かれていました。国府の中でも政務や儀式を行う建物を国庁といいますが、その国庁はスポーツセンタの西側の野球場付近にあったとされています（野球場そのものは二〇二〇年現在工事で一時閉鎖されていました）。

この場所で古代の国府らしさを感じるのは難しいですが、戦国時代の合戦の地、明治時代以降の陸軍の施設であった時代を経て、現在は文教・スポーツの場所になっているということなのでしょう。

国府台を南東の方角に下りてゆくと、真間（まま）という地名があります。弘法寺というお寺があり、坂を下りたところには弘法寺の一部でもある手児奈（てこな）霊神堂があります。

真間の手児奈とは、古代の伝承の美しい女性で、多くの男性に求婚されたのを気に病み、海に身を投げてしまったという悲しい話があります。万葉集には、高橋虫麻呂の「勝鹿（かつしか）の真間の井見れば立ち平（なら）し水汲ましけむ手児名し思ほゆ」などの手児奈を歌った歌が収められています。

また、上田秋成の『雨月物語』（一七七六年）には、「下総の国葛飾郡真間の郷に、勝四郎といふ男ありけり」で始まる「浅茅が宿（あさぢがやど）」の短編が収められており、これも真間の手児奈をモティーフのひとつとしており、ついでながら勝四郎という名前も葛飾生まれを受けたものとされています（鵜月洋訳注『改訂雨月物語・現代語訳付き』（二〇〇六年）。

この雨月物語の「浅茅が宿」では、舞台を享徳（きょうとく）四年（一四五四年）、鎌倉公方足利成氏が関東管領上杉氏と争い、下総古河に移った関東の戦国時代の始まりとも言われる享徳の乱以降にとっています。

長年、京で過ごした主人公の勝四郎が、戦乱で荒れ果てた葛飾郡真間に帰り来てみると一変しており、近所の人にこの間の事情を聴こうとしますが、「今住居する人は大かた他より移り来たる人なり（いま住んでいる人は、大ていその後、よそから移ってきた人たちです）」とのことでした。以前からこの地域に住んでいる人は、ほとんどいない状況です。

何か五百年以上後の現代——必ずしも世代をまたいで住んでいるわけではなく、東京に通勤する事情から住んでいる千葉都民を彷彿させるようで面白く感じます。

弘法寺や手児奈霊神堂からは、市川駅の方角に風情のある大門通りと呼ばれる参道が伸びています。市川駅に近づくと、山崎製パンの関係施設が多いのが目につきます。デイリーヤマザキは、コンビニエンスストア店舗数としては五番目の規模ですが、市川駅周辺に多く見かけられます。また、市川駅前にはヤマザキプラザ市川や山崎製パン企業年金基金会館といったビルがあり、前述した市川橋のたもとにあるヤマザキパン中央研究所と合わせると、市川駅周辺はあたかも山崎製パンの企業城下町ではないかとも思われます。

市川駅には、Ｓｈａｐｏ市川というショッピングセンタがあり、その中に落花生を使った食品等、千葉県の物産を売っている「房の駅シャポー市川店」があります。そこでは落花生などの千葉県をテーマにしたソフトクリームを食べることもできます。

房の駅は千葉県内に複数の店舗があり、市川が本店というわけではありません。た

だ、東京を越えてすぐの市川駅で千葉県の物産に特化した店が頑張っているのは面白く感じられます。市川駅南口近辺には、行列のできる人気ラーメン屋「ら～麺あけどや」があります。味噌ら～麺や毎回テーマが変わり、一日の提供数量が限定的な限定麺で知られています（例えば、二〇二一年の最初の限定麺は地鶏と鯛の白出汁新春麺〈一日四十食限定〉でした）。

国道14号線（千葉街道）を東南方向に進みます。幹線道路であり交通量が多く、旧街道（佐倉〈成田〉街道）といった趣はありません。八幡に至ると、その地名の元であり下総国総鎮守をうたう葛飾八幡宮があり、これも下総国の国府所在地でもあった市川市の歴史を感じさせます。

なお、先程山崎製パンについて触れましたが、八幡はレストラン「サイゼリヤ」の発祥の地でもあり、すでに営業はしていませんが元一号店は教育記念館として残っています。一号店に一番近い営業している「サイゼリヤ」は、本八幡駅前のショッピングセンターパティオ内の本八幡北口パティオ店になりますでしょうか。

二〇二一年一月に全面開庁した新築の市川市役所第一庁舎を過ぎると、東昌寺という曹洞宗のお寺があります。八幡は八幡宿として旧佐倉街道の宿場でした。しかし江

市川市中山の「市川市東山魁夷記念館」

戸から距離が近く、船橋宿が江戸からの一泊目になることから、本陣などは設置されていませんでした。必要が生じたときはこの東昌寺が宿泊所となったとされています（千葉県教育庁編『千葉県歴史の道調査報告書二成田街道』一九八七年）。

千葉街道を船橋との境近くまで更に東南に行くと、鎌ケ谷方面の木下（きおろし）街道が北に分岐しています。

木下街道とは、第十章の鎌ケ谷市のところで紹介しますが、現在の市川市行徳から印西市の木下河岸までを結ぶ江戸時代からの道です。木下街道を北に行くと、中山に市川市東山魁夷記念館があります。日本画家の東山魁夷は戦後から市川市に住んでいました。記念館は東山魁夷が留学していたドイツを想わせる八角形の塔がエントランスになっている印象的な建物です。また、同じく中山には日蓮宗大本山の一つ法華経寺があります。

南部の行徳地区も市川市です。行徳は東京メトロ東西線沿線であり、筆者も行徳に住んでいたことがありますが、鉄道沿線が異なることもあり、同じ市川市内といっても総武線沿線の市川（駅）・八幡エリアにあまり足を運ばなかったように思います。行徳は江戸時代には製塩が盛んに行われており、今でも塩浜という地名があります。

このように、東京に隣接し、市民の千葉県民意識が低いと言われる市川市ですが、下総国国府としての豊かな歴史と文化に恵まれています。

船橋市―
船橋ソースラーメン

市川市の次に紹介する市は船橋市です。

船橋市は、市川市のように国府所在地であったというような政治的中心としての歴史はないのですが、一九三七（昭和一二）に東葛飾郡からは二番目の市として誕生しています。船橋市の人口は約六十四万人であり、千葉県では千葉市に次ぐ人口規模です。また、これは政令指定都市でない市としては全国最大です（政令指定都市として最も人口が少ないのは静岡市の約六十九万人です）。

このような千葉県内の大都市、船橋市ですが、船橋に居住していない千葉県民にとって、船橋のイメジは何でしょうか。

交通が便利であり、集まって飲み会をする、ショッピング、あるいは競馬場などもあり、ギャンブルも含めたレジャの印象を持つ人が多いのではないでしょうか。

船橋は歴史的には佐倉（成田）街道の宿場町として発展し、商業が発展していることから「商都・船橋」と呼ばれることもあります。

鉄道網が発達している船橋の中で、一番アクセスしやすいのは西船橋でないでしょうか。ＪＲ東日本の総武線及び武蔵野線が西船橋で交錯し、京葉線にも直通でつながっています。加えて東京メトロ東西線の駅でもあります。

武蔵野線は、常磐線、総武線及び京葉線と、都心を結ぶ異なった生活圏をタテに結ぶ路線であり、西船橋駅は異なった生活圏に住む千葉県民が一番集まりやすい場所ではないかと思います。事実、筆者も西船橋駅周辺の居酒屋で友人とお酒を飲むことがよくあります。

船橋市出身の作家、森沢明夫による船橋、とりわけ西船橋を主な舞台にした小説『きらきら眼鏡』（二〇一五年）及びそれを原作として二〇一八年に公開された同名の映画でも、主人公たちは西船橋の「居酒屋一九（いざかやいっきゅう）」で、名物だという〝小松菜ハイボール〟を飲むシーンがあります。「居酒屋一九」の〝小松菜ハイボール〟は外見は緑なのですが爽やかな味です。

この西船橋、飲み屋、あるいは塾は多く、繁華街ではあるのですが、ショッピングの場所としては物足りません。そこはやはり船橋駅か、南船橋駅のららぽーとＴＯＫＹＯ－ＢＡＹになるのではないでしょうか。

西船橋駅の北側を、市川市のところで述べた国道14号線（千葉街道）が東西に走っています。これを東の船橋駅方向に歩いてゆきます。あまり旧街道といった趣はない居住地域なのですが、西船橋と船橋駅の間の地名は海神（かいじん）であり、海を感じさせます。船橋駅近くの本町に来ると商業店舗が増え、賑やかになってきます。船橋駅に通じる交差点を横切って本町通りをさらに東に進みます。

この本町通りは歴史のある通りで、右手の千葉銀行船橋支店のところには、明治天皇船橋行在所の碑があります。明治天皇は陸軍の演習や牧畜事業視察のために頻繁に千葉県を訪れており、当時あった船橋町の旅館に何度も宿泊されているそうです。

さらに先には、店名が薄れて完全に読み取れない古い書店があります。「川奈部（かわなべ）書店」と言って太宰治も通ったことがあるそうです。

ある土曜日の午後、シャッターが閉まっているのでこの書店はもう営業していないのかと思って眺めていると、シャッターが開かれ営業を始めました。

店主の方に伺ったら午前中は配達をしており、午後から営業するようです。船橋市と文学はあまり結びつくイメジがありませんが、太宰治や川端康成、現代の作家では村上春樹も船橋に住んでいたことがあります。

太宰治の代表作、『人間失格』（一九四八）では、最後のあとがきの章で、「私」が船橋市に疎開しているある友人を訪ねています。「何か新鮮な海産物でも仕入れて私の家の者たちに食わせてやろうと思い」、船橋市へ出かけて行きます。

「船橋市は泥海に臨んだかなり大きいまちであった。新住民たるその友人の家は、その土地の人に所番地を告げてたずねても、なかなかわからないのである」との記述もあります。

ここから言えるのは第一に、ここでの船橋は、「空襲」という言葉もあり、終戦直後ではないかと思われますが、海産物を土産に買いに行くところ、というイメジを持っていることです。

現代の船橋で、船橋に行く際に海産物を、とはあまり思わないのではないでしょうか。ただし、船橋では今でも漁業の盛んなところです。東京湾のスズキの漁獲量は日本一と言われており、「江戸前船橋瞬〆すずき」というブランド名を持っています。また、海苔の養殖やアサリ、ホンビノスガイなどの貝類が採られています。中でもホンビノスガイはアサリの漁獲量が落ちる中、二〇〇〇年代になって漁獲が始められた船橋の新しい名物です。

ホンビノスガイは北米原産で、アサリやハマグリより大ぶりの貝です。筆者も西船橋の居酒屋での焼貝や南船橋のららぽーとＴＯＫＹＯ－ＢＡＹ内のイタリアンレストランでのアッレ・ヴォンゴレでホンビノスガイを楽しんだことがあります。

話がややそれましたが、『人間失格』に戻りますと、次に注目したのは「新住民」、すなわち「千葉都民」の街としての船橋です。

住民は長くその土地に住んでいるわけではなく、人に尋ねてもなかなかわからないのは、第三章の市川市で述べた上田秋成の『雨月物語』の中の葛飾郡真間でのやりとりを彷彿させます。

本町通りをさらに進みます。海老川の手前のベージュの大きなマンションが船橋宿本陣の跡地だと言われているようですが、案内板などはなく、よくわかりません。水戸街道の松戸宿本陣跡は、やはり低層マンションになっていますが案内板はあります。マンションの敷地なので難しいのかもしれませんが、歴史を示すためにも何らかの案内板があってもいいように思います。

本町通りは海老川を渡ります。海老川は大きな川でありませんが、船橋の歴史に重要な役割を果たしています。橋の真ん中には船橋地名発祥の地の案内があります。

古代の英雄（日本武尊）が東征の途次、海老川を渡ることができなかったとき、地

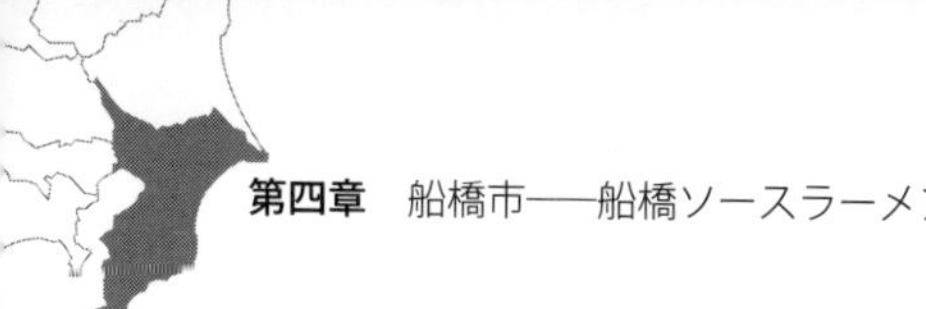

元民が小舟を並べて橋の代りとしたことに由来するそうです。この海老川を見ると、船が必要なような大きさには見えませんが、昔は川幅が広く、水量も多かったそうです。ここから海は見えませんが、河岸を歩いていると海老ならぬ「フナムシ」を見つけました。海が近い証拠なのでしょう。

海老川を渡ると船橋大神宮（正式には意富比神社）があります。前述した日本武尊の東征の折に東国平定の成就を祈願したのに始まるとされています。船橋はこの船橋大神宮の門前町としても栄えていたという経緯もあります。

船橋大神宮から西に引き返し、今度は本町通りから一つ北の小さい通りを歩くと、それは御殿通りと呼ばれています。この通りには十七世紀に鷹狩りに向かう徳川家康のために造られた船橋御殿の跡に面しているためです。

ゆるくカーヴしているため、直線的な本町通りに比して旧街道のような趣もありますが、古い建物が残っているわけではありません。

御殿通りの途中に「中華料理大輦」というお店があります。ここは〝ソースらーめん〟という船橋のご当地ラーメンで知られています。

船橋市本町大肇の“ソースらーめん”
(ハムカツトッピング)

千葉県にはいくつかのご当地ラーメンがあります。〝勝浦タンタンメン〟などは有名です。松戸市もつけ麺を含めたラーメン激戦区で知られていますが、松戸市ならではのラーメンのジャンルがあるというわけではありません。

船橋〝ソースらーめん〟は〝勝浦タンタンメン〟ほど知られてはいないようですが、旧東葛飾郡唯一のご当地ラーメンではないかと思います。

「大肇」は大きなお店ではありません。入ったのが平日ということもあり、お客さんは観光客やラーメンファンというより、地元で働いている方のお昼であるように思いました。メニューに〝ソースらーめん〟とありますが、トッピングとしてハムカツを載せたものもあり、そちらを注文しました。ハムカツをトッピングした〝ソースらーめん〟は単に「ハムカツ」と呼ばれるようです。出された〝ソースらーめん〟は、黒っぽいウスターソースのスープに青のりや赤いショウガがかけられており、見かけ的にもソース焼きそばに近い感じですが、食べてみるとウスターソースの酸っぱさがあり、正にソース焼きそばの味です。スープ&ソース焼きそばとでもいうのでしょうか。ただし麺は炒めてあるわけではなさそうです。とてもおいしくスープまで飲んでしまいます。

この〝ソースらーめん〟は、大輦とは別の、現在は閉店している船橋駅前の店で戦後始まったそうです。船橋は戦災を免れ、商業、物流の拠点であったことから闇市が栄えたといいます。あるいはそのような流れの中からソース焼きそばから派生した〝ソースらーめん〟が生み出されたのでしょうか。昔から継続して有名であったわけではなく、二〇一〇年代になってからいわゆるご当地グルメブームの中で再発見されたもののようです。

「大輦」を出て大通りを北に向かうと、京成とJR東日本の船橋駅です。

かつてJR船橋駅は北口に東武、南口に西武と、まるでミニ池袋であり、千葉都民ファミリー層の支持が高いとの声がありました（『あなたはどっち？　千葉都民　千葉県民』〈マイクロマガジン社・二〇一九年〉）。残念ながら西武船橋店の方は、二〇一八年に閉店してしまいました。

このように、船橋はレジャ、グルメ、ショッピングと正に商都・船橋の名にふさわしい充実ぶりです。

松戸市——水戸街道松戸宿

三番目に紹介する市は、旧東葛飾郡の中でも北側、ＪＲ常磐線沿線の松戸市です。東京都葛飾区に接しており、ＵＲ（都市再生機構）の公団住宅なども多いことから郊外ベッドタウンの印象が強いですが、江戸と水戸を結ぶ水戸街道の宿場町として発展した歴史のある街です。

戦争中の一九四三（昭和一八）年に市制を施行しており、人口約四十九万人と市川市より僅かに少なく千葉県内四位の規模です。旧東葛飾郡を代表する街の一つです。

松戸の地に言及される最も古い例として挙げられる十一世紀の菅原孝標（すがわらのたかすえ）の娘による『更級日記』では、しもつさの國（下総国）と武蔵との境として「まつさとのわたり」が登場します。

松戸の語源には、馬の港を示す「馬津（うまつ）」とする解釈もあり、多くのお間を伴う国司等の旅において、馬が渡れ、宿泊できる場所ということのようです（「更級日記、東国知る史料に」『日本経済新聞』（二〇二〇年九月三〇日）。

現在の松戸市の中心は松戸駅周辺であり、松戸宿として江戸時代から栄えていました。他方、現在の松戸市域で戦国時代までに名前が登場するのは、松戸市大谷口にあった小金（大谷口）城です（荒木知「小金城址を歩く」『松戸史談第五九号』

〈二〇一九年〉)。

鎌倉時代以来の下総国の大名は千葉氏であり、小金城は千葉氏の家老原氏の重臣である高城氏の居城でした。戦国時代の関東においては、江戸川(太日川)を境に古河公方の勢力圏である下総国と関東管領上杉氏の勢力圏である武蔵国とが対立しており、江戸川に近い小金城は下総方の最前線として重要な役割を果たしていたと考えられます。

ちなみに江戸城というのは、武蔵方の前線として(扇谷)上杉氏の家宰、太田道灌(おおたどうかん)により築かれています。小金城は下総国北西部では最大規模の城であり、小金城の高城氏の支配は現在の市川市を含む葛飾郡東部一帯に及んでいたとされています。戦国時代の旧東葛飾郡における政治的中心であったと言ってよいでしょう。

小金城の遺構が残っている大谷口歴史公園には、JR常磐線北小金駅北口などからも歩いて行けますが、流鉄流山線という路線総延長六キロ弱、二両編成かつ単線の鉄道のその名を冠した小金城址駅が一応の最寄り駅です。

折角小金城址を訪れるのならば、流山市などに住んでいない限り、まず利用する機会のない流鉄流山線を利用してみてはいかがでしょうか(ちなみにきっぷの購入は現金のみでＳｕｉｃａ・ＰＡＳＭＯは使えません）。

大谷口歴史公園は大谷口の北端にある緑に囲まれた小山です。小山を登ると、開けた広場になっており、城の遺構としては二か所の（空）堀と土塁があります。堀には特徴があり、障子堀や畝堀と呼ばれています。これは横に長い空堀に縦の仕切りを設けたもので、堀に侵入した外敵が堀内を横に自由に移動するのを妨げる効果があったものと考えられます。ただし、堀の近くの松戸市教育委員会による一九九七年の案内板に示されている発掘直後の写真では、障子や畝が設けられていることが判るものの、現在の空堀を見ても、縦の仕切りの部分は風化しており、目で確認することは難しいです。

また、このような工夫をした堀は小田原北条氏の城によく見られるとのことです。上杉氏が関東での勢力を失い北条氏が下総地域に進出するにつれて、北条氏と姻戚関係を結んだ主家筋の千葉氏をはじめ、原氏及び高城氏も北条氏の勢力下に取り込まれています。彼ら下総の勢力は下総衆として北条氏の江戸城城代遠山氏の傘下に置かれたそうです（石井・宇野編『千葉県の歴史』（二〇〇〇年）。北条氏の影響が城の構造にも反映されているということでしょう。

また、江戸の周辺としての下総の位置付けが、十六世紀の北条氏の関東支配の構図から見られることも興味深いです。

小金城は豊臣秀吉による小田原征伐（一五九〇年）の後、ほどなくして廃城となり、江戸時代の松戸は水戸街道の宿場町、松戸宿として発展しています。江戸と水戸を結ぶ水戸街道の内、松戸宿は江戸（武蔵国）から江戸川を渡り下総国に入ってすぐの場所にあり、武蔵国と下総国の国境の宿ということができます。

現在の江戸川と松戸宿周辺を実際に歩いてみましょう。

水戸街道を江戸川から出発すると、江戸川に接する江戸の東端には金町関所（金町松戸関所）がありました。葛飾区東金町八丁目の東京都下水道局東金町ポンプ所の近くに、「金町関所跡之記」が葛飾区教育員会により建てられています。第三章の市川市でも触れましたが、江戸時代の江戸川には橋は架けられていませんでした。この付近の河岸から松戸宿まで、船で江戸川を渡っていたのでしょう。

市川市と同様、松戸市も下総台地の西端であり、松戸側には最後の水戸藩主徳川昭武（あきたけ）の戸定邸（とじょうてい）や千葉大学園芸学部のある新緑の台地、戸定台が眺められます。

現代においては、より下流の柴又・矢切間以外に渡し船はないので、二〇〇メートル程下流にある葛飾橋（都県道54号線）を渡って松戸市に入ります。葛飾橋を渡ったところには、「ようこそ千葉県へ」との標識もあります。

葛飾橋を渡って左方向に進み、千葉県道5号線（流山街道）の角町交差点を過ぎた辺りから旧松戸宿です。

角町のバス停のやや過ぎたところの江戸川方向に、やや広い数十メートルの道があります。これがかつて松戸宿の玄関として賑わった下横町の通り、あるいは渡船場道ですが、今では完全な住宅地です。その端の河岸に「是より御料松戸宿」と記した碑が建てられています。河岸のこの付近が江戸川を渡る船の松戸側の船着き場だったのでしょう。

下横町の通りについては、「同じ松戸宿内でも一種変わった雰囲気と賑わいをみせていたようである。それはこの下横町が、旅行者にとっては、江戸を離れての初めての下総の土地、或いは江戸を望む最後の土地という極めて印象の強い土地であったと同時に、何よりも諸物資の輸出入貿易港的な渡頭場であったということであろう」と松戸市役所『松戸市史中巻近世編』（一九七八年）に評されています。今は静かなこの

土地も江戸時代は江戸（武蔵国）と下総国の国境地帯だったようです。

千葉県道5号線（流山街道）に戻り北に左折すると、「松戸宿」の提灯で飾られた旧水戸街道の通りであり、社寺や老舗が残っています。下横町の通りから坂川に架かる春雨橋までが松戸宿の中心であったとされており、水戸徳川家を始めとする大名が宿泊や休息で利用した本陣もこのエリアに含まれています。

旧水戸街道を北に向かうと、松戸神社に近い宮前町の交差点に出ます。交差点を左折したところの低層マンションの前に、「旧松戸宿本陣跡地」の案内板が置かれています。本陣の建物は二〇〇四年に解体されているようです。二十一世紀まで本陣の建物が残っていたというのも驚きです。

旧本陣には、明治時代の一八七八年に東葛飾郡の郡役所が置かれています。東京に接する千葉県北西部において、水戸街道の宿場町として賑わった松戸宿がそれだけ重要であったということでしょう。

また、松戸市には現在、千葉県の東葛飾地域振興事務所が置かれています。旧水戸街道をもう少し松戸駅の方に進むと、春雨橋の手前に「栄泉堂岡松（えいせんどうおかまつ）」という大正三

（一九一四）年創業の和菓子の老舗があります。

松戸市役所の「すぐやる課」にちなんだ〝すぐやる菓〟という焼菓子などがあり、松戸のお土産に適しています。この〝すぐやる菓〟は、ハチミツを原材料に使っており、松戸市役所の「すぐやる課」への主な要望の一つに蜂の巣の駆除があるからだそうです。

話は変わりますが、現在の松戸市は宿場町として発展しており、城下町ではありません。前述した小金城も江戸時代以前の話です。水戸街道沿いにあるため水戸徳川家と密接な関係にありましたが、松戸に殿様がいたわけではありません。

他方で、松戸徳川家という家があります。これはどういうことでしょうか。松戸徳川家は江戸時代の大名ではなく、明治時代に創設された華族（子爵）なのです。先程水戸徳川家の名前を出しましたが、水戸藩の最後の藩主、徳川昭武（第十五代将軍徳川慶喜の弟でもあります）は、廃藩後の明治時代に、水戸徳川家の家督を甥に譲った後に松戸に設けた別邸に移ります。その後に徳川昭武の子、武定が子爵を受爵したことから松戸徳川家と言われています。

徳川昭武の松戸の別邸とは、江戸川の河岸のところで述べた戸上邸です。先程の水

戸街道松戸宿は松戸駅の西側にありましたが、今度は松戸駅の東側に回ります。ショッピングセンタのプラーレ松戸のところから南に歩きます。途中にはラーメン激戦区と言われる松戸でおそらく最も有名なラーメン、つけ麺のお店である「中華蕎麦とみ田」があります。当日朝に食券を購入して昼に再度来る、あるいはインターネット予約サイトを利用するという方法でないと「とみ田」のつけめんやらぁめんは食べられませんのでなかなか大変です。また、「とみ田」の隣には中華の高級店「中国料理天廣堂」もあります。

さらに南に進み戸上が丘の坂を上ると、国指定重要文化財でもある戸上邸です。一八八四（明治一七）年に座敷開きが行われており、明治時代の徳川家の住まいが完全に残る唯一の例とされています。多くの部屋がある基本平屋建で、表座敷棟からは旧徳川昭武庭園が眺められます。家屋は日本建築ですが庭園は緑の芝生が広がる洋風庭園です。この洋風の芝生は、現存するものでは最古と言われています。

徳川昭武は将軍であった兄徳川慶喜により、一八六七年（王政復古の大号令の前年）のパリ万国博覧会に将軍名代として派遣されています。その際の日記にはコーヒーのモカを随行した渋沢栄一らと楽しんだと記されているそうです。

茨城県ひたちなか市の株式会社サザコーヒーにより、このパリへの旅でコーヒーを楽しんだ徳川昭武のエピソードに基づいて〝プリンス徳川カフェ〟という深煎りのフレンチローストのモカが販売されています。

筆者は土日の午前中にこの濃い目の〝プリンス徳川カフェ〟をブラックでゆっくり楽しむことがあります（一杯どりカップオン方式なので簡単）。

松戸市松戸の戸上邸表座敷棟から望む旧徳川昭武庭園

サザコーヒーには、徳川慶喜のひ孫にあたる徳川慶朝氏が商品開発に協力しており、水戸徳川家との縁もあります（徳川慶喜は水戸藩主徳川斉昭の七男）。

東京都に接するベッドタウンである松戸ですが、このように水戸街道松戸宿以来の水戸との関係を感じることができます。

野田市―
醤油醸造

野田市が誕生したのは、戦後の一九五〇年。ここから紹介する市は皆、戦後に市制を施行しています。

野田市は旧東葛飾郡に属していますが、千葉都民の街かというとやや微妙です。千葉県のデータによる東京都への通勤通学者比率（二〇一五年時点）では、野田市は約一三パーセント、千葉県五十四市町村中一六位、千葉県全体での比率が約二二パーセントですから、千葉県北西部に位置する自治体としては高くありません。

『あなたはどっち？ 千葉都民 千葉県民』（マイクロマガジン社・二〇一九年）は、千葉県に住む人を東京に通勤する「千葉都民」と地元で活動する「千葉県民」とに分類しているのですが、野田を常磐線やつくばエクスプレスといった沿線別「千葉都民」と分けて、東葛でありながら「千葉県民」の地域としています。

キッコーマン株式会社の大規模な工場があり、江戸時代から醤油の醸造で栄えていたことが野田を特徴づけており、常磐線やつくばエクスプレスのように都心に直接アクセスする鉄道路線が通っていないことも相まって、他の千葉都民の街とは色合いを異にしています。

実は多くの千葉県民にとって、野田から連想するのは醤油ではなくて車のナンバープレイトかもしれません。そして常磐線沿線などの旧葛飾郡北部に住んでいる方の多くにとっては、関東運輸局の野田自動車検査登録事務所（いわゆる車検事務所）が野田との主な関りかもしれません。

千葉県内のナンバープレイトは、いわゆるご当地ナンバーを除くと、本来四つの車検事務所に対応した、千葉、習志野、袖ケ浦（そでがうら）及び野田の四つでした。旧東葛飾郡では、南部の市川、船橋、鎌ケ谷及び浦安が習志野ナンバーで、北部の松戸、野田、柏、流山及び我孫子が野田ナンバーでした。野田ナンバーは一九九七年に習志野ナンバーから分離した新しいナンバーです。また、車検事務所開設にあたっては、柏市も誘致を行ったそうです。もし旧東葛飾郡北部が柏ナンバーだったら野田の認知度はもっと低くなっていたかもしれません。

野田車検事務所は、柏市方面から国道16号線を北西に進み、野田市に入ってすぐの上三ケ尾（かみさんがお）にあります。車が集まる車検事務所だけあって敷地は広いです。野田ナンバーの車に乗っていると、県外の高速道路のサーヴィスエリアなどで同じ野田ナンバーに親近感を感じます。

二〇〇六年以降、ご当地ナンバーとして、車検事務所単位によらずに市単位でのナンバーが発行できるようになりました。旧東葛飾郡では、柏ナンバーが二〇〇六年に導入されています。二〇二〇年には、市川ナンバー、船橋ナンバー及び松戸ナンバーも導入されました。今後これらの新ご当地ナンバーが街中に増えてくるものと思われます。

野田市ですが、実は北部の旧関宿町と南部の以前からの野田市の二つの地域に区分できます。千葉県民でしたら、千葉県のマスコットキャラクター〝チーバくん〟を知っていると思います。千葉県の形をした赤い犬のような不思議ないきものです。ちなみに〝チーバくん〟の作者の坂崎千春さんは、ＪＲ東日本のＳｕｉｃａのペンギンキャラクタも生み出しているそうです。

千葉県内の市町村の位置を表すのに〝チーバくん〟の体の部分でよくたとえられます。野田市はとんがった〝チーバくん〟の鼻であり、旧関宿町はその中でも鼻の先端にあたります。ちなみに銚子市は耳で館山市はつま先です。

千葉県のキャラクター
“チーバくん”

実は南部の旧野田市よりも北部の旧関宿町の方が早く歴史の舞台に登場しています。〝チーバくん〟の鼻の先端の先端、とんがった部分は、利根川が江戸川と分流するところです。利根川と江戸川に挟まれた細い回廊が旧関宿町であり、利根川の向こう、左岸は茨城県であり、江戸川の右岸は埼玉県になります。戦国時代にこの利根川と江戸川が分かれるところに関宿城（せきやどじょう）が築かれました。

現在は関宿城跡近くに千葉県立関宿城博物館があります。この関宿城博物館、千葉県の北西部の先端にあるだけに、公共交通機関でのアクセスは非常に難しいです。柏駅から東武アーバンパークライン（野田線）に乗り川間駅へ。そこからバスに乗り約三十分。土日には何と一日一往復しかありません。

関宿城博物館は利根川と江戸川の分岐点のスーパー堤防上にあり、江戸時代の関宿藩の歴史、というよりも利根川及び江戸川という、河川及び河川における交通並びに産業をテーマにした展示が多くみられます。

ここはあくまで博物館であり、お城の建物はありますが、江戸時代からの建物ではなく、一九九五年に開館した博物館の模擬天守ということになっています。ただし、

野田市関宿三軒家
「千葉県立関宿城博物館」の模擬天守

江戸時代の天守閣と関係がないわけではなく、記録では関宿城の天守は江戸城の富士見櫓を模したものであったとされていますので、現在の皇居東御苑に残る旧江戸城の三重櫓、富士見櫓を参考にしたそうです。

模擬天守の最上階からは利根川が分岐し、右が利根川、左が江戸川という風景が眺められます。第一章で戦国時代に本拠地を鎌倉から下総国古河に移した古河公方足利氏について触れました。古河も利根川沿いの地であり、関宿城は古河公方の家臣梁田氏によって築城されています。関東の水運を抑える重要拠点であり、北条氏からは関宿城を押さえることは一国を取るに等しいと評されています。

では、今度は南部の元からの野田市に行ってみましょう。

旧野田市は何といっても醤油醸造で知られおり、東武アーバンパークラインの野田

市駅に降り立つと、キッコーマン株式会社の銀色の巨大なサイロ（原料の大豆や小麦のためのもののようです）に出合います。

野田市駅近くには「キッコーマンもの知りしょうゆ館」という見学施設があるのですが、新型コロナウィルスの影響で休館しており、入ることができませんでした。近くには野田市郷土博物館があり、そちらは開館しています。ちなみに、野田市郷土博物館の建物は、日本武道館などを手掛けた建築家、山田守の設計であり、二〇二〇年一一月、文化審議会は野田市郷土博物館を登録有形文化財（建造物）に登録するよう文部科学大臣に答申しています。

ところで、野田市駅では駅に降り立つとすぐ醤油の匂いがするともいいますが、本当でしょうか。歩いていてはっきりと醤油の匂いを感じるということはないですが、そういわれると空気にかすかにすっぱい香りがないでもないようにも思われます。日によるのかもしれません。

野田市野田
「キッコーマンもの知りしょうゆ館」

どうして野田で醤油醸造が盛んになったのでしょうか。

小泉武夫『醤油・味噌・酢はすごい』（二〇一六年）によると、野田では一五六一年に飯田市郎兵衛が溜醤油（たまりじょうゆ）を製造開始し、一六六一年に高梨兵左衛門が醤油醸造を始め、翌一六六二年には茂木七左衛門が味噌屋を開業、その後醤油屋となり、これらが野田醤油発祥の基礎となったとあります。

溜醤油や味噌という言葉が出てきましたが、室町時代までの醤油は、味噌造りの過程で桶の底に沈殿した溜（たま）りであり、味噌と現代の醤油の中間的なトロリとしたものであったようです。紀伊（和歌山）など上方が代表的な生産地でした。江戸時代初めは醤油（も酒も）上方から下ってきた「下り醤油」がほとんどでしたが、江戸の醤油消費量が増えるに従い、江戸周辺、関東の「地廻り醤油」の製造も盛んになってきます。

野田の醤油の発展には四つの要素によるのではないかと思います。

まず、消費地のとしての江戸の需要が大きかったこと。十八世紀までに江戸の人口は百万人を超えており、ロンドンを凌ぐ世界一の都市であったこと、さらに武家人口が多く、幕府以下武家の支出額合計は年一千万両にも達したとされており、武家の消費経済が大きな意味を持っていました（竹内他『東京都の歴史』〈二〇一〇年〉）。

二点目は原材料の入手です。醤油の原材料は大豆、小麦と塩です。まず大豆と小麦とで麹（こうじ）を作り、これに塩水を加えて諸味（もろみ）にした上で発酵させて醤油を作ります。野田には後背の常陸の大豆や下総、武蔵の小麦が利根川水系を通じてもたらされます。塩は同じ下総の行徳塩田（現市川市）もありましたが、播磨の赤穂塩が用いられたようです。

第三は二点目と同じ理由ですが、野田で製造された醤油は現在の江戸川を通じて迅速に江戸に届けることができました。

四番目の理由として、先程江戸時代以前の醤油は溜りのようであったと述べましたが、野田や銚子の醤油は、江戸の人たちの嗜好に合わせようと、さっぱりとした味、かつ色が濃い関東の濃口醤油を生み出したことです。現在市販の醤油の八割が濃口醤油だそうで、最も一般的な醤油です。

濃口醤油とはしょっぱい味が強いものを指すのかと思ったら、色が濃いことを指すそうです。薄口醤油とは、着色が薄いものを指し、塩分はむしろ濃口醤油より多いとのことです。

一八世紀初めの享保年間には、江戸に入った醤油のほとんどはいわゆる下り醤油、大阪から来たものでした。それが江戸時代後期、一九世紀初めの文政年間には、今度は江戸のほとんどの醬油は下総を含む関東一円からのものになり、関東醬油が中心になっています。この間に野田や銚子などの関東の醬油醸造が大きく発展したということでしょう。

野田市内の施設の多くが醬油産業と結びついています。前述した野田市郷土博物館の敷地には、野田の醬油醸造の礎を築いた家の一つである茂木（佐平治）家の邸宅（一九二四年頃建築）が市民会館として残されています。また、野田市駅から北に二駅目の清水公園駅には、「清水公園」という大きな公園があります。ここもやはり茂木家の茂木柏衛により一八九四年に開園した公園です。基本的には入園料無料なのですが、花ファンタジアという有料のフラワーガーデンがあり、春秋に花が楽しめます。

柏市―「何もない街」or「商業の中心」？

柏市は人口約四十三万人、ＪＲ常磐線においては松戸市と並ぶ大都市であり、実際伊勢・細川編『これでいいのか松戸と柏』（二〇一九年）という松戸と柏をテーマにした書物も出版されているほどです。

柏は、江戸時代には水戸街道の小金宿（松戸市）と我孫子宿（我孫子市）の間の集落であり、宿場町ではありませんでした。柏が発展し出したのは二〇世紀近く、一八九六年に常磐線柏駅が開業してからです。

柏市は戦後の一九五四年に誕生しています。このような背景もあり、大都市ではあるのですが、常磐線沿線の住民以外には、千葉県民であっても柏に印象を持ちにくいようです。多くの人にとって柏は日本プロサッカーリーグ（Ｊリーグ）の柏レイソルの名と結びついているのではないでしょうか。

上野駅から水戸駅を経由し福島県へと向かう常磐線について論じた五十嵐・開沼編『常磐線中心主義』（二〇一五年）では、柏についての章があり、五十嵐泰正「柏駅とあるベッドタウンが経験した協働」では、「柏は高度経済成長期以降に開発が進展した、首都圏ではやや後発のベッドタウンである」旨指摘した上で、「しかし、その住宅地としての開発の遅れと、常磐線沿線といういまひとつのイメージもあいまって、

生まれてこの方柏に住んできた筆者を含む柏市民の多くは、長らく「何もない街」と自嘲し、遠出をした際に出身地を聞かれると、「東京の近く」と口ごもって答えてしまうような街でもあった」と述べています。

五十嵐準教授が言うように、柏は「何もない街」なのでしょうか。確かに、例えば市川市のように古代からの歴史があるというわけではなく、明治時代になってからできた街です。また、常磐線沿線の住民以外の者にとっては、柏ならでは、というのはなかなかありません。その意味では人口規模に比して色の薄い街であると言えると思います。

他方、茨城県を含む常磐線沿線の住民にとっては、柏は「千葉の渋谷」とも言われるほどの商業の集積地であり、松戸市からもショッピング客を集めています。そのような常磐線における商業の中心地、柏を探索してみましょう。

前述したように、江戸時代の柏は水戸街道が通っていたものの、宿場町ではなかったため、江戸時代における柏はほとんど語られることがありません。明治時代に柏駅が開業して柏の市街地が形成され始めました。ということは柏の中心、ヘソは柏駅と

柏市・柏駅東口

いうことになるでしょう。

柏駅はJR常磐線で水戸、茨城方面とつながっているだけではなく、東武アーバンパークラインで野田、大宮方面及び船橋方面とつながっています。水戸以北に向かうJRの特急ときわは、千葉県内では柏駅にのみ停車しますので、例えば松戸から水戸に行こうとすると柏駅で乗り換えることになります。

二〇二〇年四月からは、常磐線快速のプラットフォームにおいては、柏レイソルの応援歌のメロディが流れています。こういったことでも柏らしさを感じます。

「柏高島屋ステーションモール」が駅と一体となっているため、駅構内は非常ににぎやかです。柏高島屋は、高島屋の店別売上では、世田谷区の玉川高島屋に次ぐ七番目の規模です（二〇二〇年二月期の売上三九二億円）。

柏は、駅の東口の方が賑わっており、東口と連結したペデストリアンデッキは

一九七三年に竣工した日本で初めてのものです。東口にはまた柏マルイといった商業施設もあります。

東口の駅前通りを東南に歩いて行きます。商店街としての名前はハウディモールですが、レイソルロードとも呼ばれ、柏レイソルの黄色いフラッグが掲げられています。同規模の街でも松戸駅周辺に比して道がすっきりしており開放感があるように感じられます。松戸ですと基本飲食店という印象ですが、柏ではアパレル関係の店も目に入ります。江戸時代からの宿場町である松戸よりも駅を中心に発展した新興都市柏の方が開放的に発展できるということでしょうか。

少し歩くと西南――東北に走る旧水戸街道と交錯する交差点に出ます。右前方には柏神社が見えます。柏の街は明治時代以降に発展したと述べました。この柏神社もあまり歴史はないのかな、と思いましたら江戸時代一七世紀に鎮座しており、なかなかの歴史を誇っています。

柏神社の敷地の向かって右側に「水戸街道の木戸」という柏市教育委員会による案内板があります。この案内板によると、柏神社の西南側（松戸方向）は、小金牧（こがねまき）と呼ばれた馬の放牧地であり、この牧との境目に、馬だけでなく人の出入りも監視するための木戸が設けられていました。この柏木戸があったところを、明治時代初めに柏の一番地としたとそうです。そうしますと、この柏神社のある交差点付近が明治時代の暫定的な柏の中心ということになるでしょうか。

交差点の旧水戸街道を左の東北方向に行くと、一階に「知味斎（ちみさい）」、二階に「Le Couple（ル・クープル）」というレストランが入ったビルがあります。この二つのレストランは、柏の食文化を語る上で重要です。

まず、「知味斎」ですが、ここは老中国菜をうたう中華料理のお店です。一九六七年の創業で、中国野菜であるチンゲンサイ（青梗菜）を日本で初めて栽培、広めたお店として知られています。この「知味斎」はチンゲンサイにこだわっており、箸置きも緑と白のチンゲンサイをモティーフにしたものです。メニューには「チンゲン菜の天然塩炒め（炒青梗菜）」があり、チンゲンサイを単独で味わうこともできます。

ところで、チンゲンサイは中国語でも青梗菜（qīnggěngcài・チンケンツァイ）だと思っていたら、必ずしもそうではなく、小白菜（xiǎobáicài・シアオパイツァイ）というようですね。オーナーシェフの木村氏は「料理の鉄人」や「チューボーですよ！」といったTV番組にも出演したことがあるそうです。

二階にある「ル・クープル」は、フランス料理店で一九九九年の開店です。オーナーシェフの佐々木氏は、二年ほど「ポール・ボキューズ（Paul Bocuse)」といったフランスの有名レストランで修業されており、前述の「知味斎」の木村氏と同様、「料理の鉄人」と「チューボーですよ！」への出演歴があるそうです。

どうしてこういう経歴の方達のレストランが同じビルにあるのでしょうか。「ル・クープル」は上品ですが、ランチの価格はリーズナブルで、土日は少し改まった家族の会食などで賑わっています。盛り付けなどにも気を配った本格的なフランス料理で、最後の濃い目のコーヒーがフランスらしいです。ちなみに筆者はフランスに住んでいたことがありますが、実はフランスの人は日常的にレストラン（特にややかしこまった）で食事をする、ということはあまりないように思います（カフェやバーには行きますが)。

柏神社の方に戻り、駅前通りの一つ裏の道を東南に進むと、ネパール・アジア料理の「ルンビニ柏店」があります。ちなみに柏の裏通りには、飲食店だけではなく、ストリートファッションの店が散在しており、〝裏カシ〟といわれているそうです。こるのでお得です。

の「ルンビニ」は柏レイソルファンの聖地ともされており、柏レイソルの試合のある日は多くのファンが集まってテレビで観戦しており、レイソルが得点を上げると歓声が上がります。今は新型コロナウィルスの影響でやや少なめかもしれませんが。柏レイソルのグッズを何かもっていると、ハイボールなどのドリンクが半額になったりするのでお得です。

ハイボールと言えば、柏にはニッカウヰスキー株式会社柏工場があり、ウィスキーは柏のご当地ドリンクと言えるかもしれません。「ルンビニ」がニッカのウィスキーを使っているかはわかりませんが。

「ルンビニ」と同じ通りには、「ホワイト餃子柏店」があります。この「ホワイト餃子」の本店は、野田にあるのですが、柏でも人気です。ここの名物は厚い皮の俵型の春巻きに近いような焼餃子です。ホワイト餃子とありますが、餃子の色が白というわけではなく、創業者が中国で白（パイ）さんから餃子づくりを教えてもらったからだそうです。ここでは焼餃子の餃子定食が食べられます。持ち帰りのお客さんが多いのでしょうか。よく外に行列が出来ています。

表の駅前通りに戻ると、インド料理、というよりカレー店の老舗、「ボンベイ柏店」があります。一九六八年創業の老舗です。ただし、表通りにあるのですが、店名の表示があまり明確でなく、小さいお店なので見過ごしてしまうかもしれません。中では食券を購入する形式です。色々なカレーがありますが、〝ボンベイカレー〟というのは名物の一つの野菜カレーです。野菜を煮るためにやや時間がかかりますが、スープのようなカレーの上に、野菜が山のように積みあがったものです。プレイトにはレイソルの文字が入っており、ここも柏レイソルを応援しているということなのでしょうか。カレーの後にはサーヴィスでコーヒーとチョコレートが供されます。インドのチャーイではなく、コーヒーも前述の「ル・クープル」と同様濃い目です。

先程から名前の挙がっている柏レイソルの本拠地は柏駅から南にある日立台の三協フロンテア柏スタジアムです。柏駅からレイソルの黄色い旗で飾られたレイソルロードを歩いて二〇分程のようですが、柏駅東口からバスで行けます。このスタジアム、他のJリーグチームの本拠地と比べて大きくはありませんが、それだけに観客席と選手がプレイするピッチが近く感じます。ホウムチーム応援席は、レイソルのシンボルカラーの黄色一色になります（少なくとも新型コロナウィルスの前は）。

柏市民公益活動団体である「できる街プロジェクト」がクラウドファンディングも活用し、柏の街を舞台にしたアニメ『超普通都市カシワ伝説』を制作しており、ＹｏｕＴｕｂｅで見ることが出来ます。その第三期は、二〇二〇年七〜九月に千葉テレビでも放映されました（五分番組ですが）。第一期の主題歌「超普通都市カシワ伝説」では、「……私も普通だってわかってるけど、少しだけ特別でいたい」という歌詞があります。

初めに「何もない街」という表現もありました。超普通都市というタイトルも、常磐線沿線に住んでいる人以外には特別なものがない柏を自認しているのでしょう。その上で、「少しだけ特別でいたい」と柏は光るものを探して成長しているように思われます。

流山市—
みりん醸造と小林一茶

流山市というのはＪＲ常磐線沿線でないこともあり、一般的な知名度はあまり高くないかもしれません。

小杉光太郎『普通の女子校生が【ろこどる】やってみた。』（一迅社）という漫画があります。「ろこどる」とはローカルアイドルのことらしく、流山市をモデルにした架空の流「川」市が舞台になっていますが、「ろこどる」である主人公の流川ガールズは、流川市を「目立った特徴などはあまりありません……」と紹介しています。

流山市では二〇〇五年のつくばエクスプレスの開業を受けて、人口が急増していいます。流山市のウェブサイトでは、「都心から一番近い森のまち」をキャッチフレーズにしており、二〇一九年中の人口増加数が四九四二人で千葉県内一位、人口増加率についても二・六パーセントで、千葉県内のみならず全国七九二の市の中で四年連続一位だそうです。

人口は二〇二一年一月に二十万人を越えました。つくばエクスプレスが開業した二〇〇五年の人口は約一五万一千人であり、前年から二百人しか人口は増えていませんが、二〇〇六年以降、人口増加率が高まり、毎年二千人から五千人の人口が増えています（東日本大震災の影響があった二〇一二年を除く）。

「都心から一番近い森のまち」ですから当然ですが、都心に通勤する千葉都民の街ということです。このように、二十一世紀になってからつくばエクスプレスという交通機関の整備で人口が急増した流山市ですが、それ以前はどうだったのでしょうか。鉄道路線の発達する前、江戸時代には野田市と同様に江戸川の水運を利用してみりんの醸造が発達しました。明治維新直後には短期間ですが県庁も置かれています。古くからの流山の中心は、つくばエクスプレスの沿線ではなく、流鉄流山線というマイナーな路線の終点、流山駅周辺になります。

流鉄流山線は第五章─松戸市のところでも紹介しました。松戸市の常磐線馬橋駅から出ており、五駅目の流山駅が終点です。この流鉄流山線、流山町の人が常磐線にアクセスするために町民が中心となって出資し、一九一六（大正五）年に開業したものです。

流山駅を降りると、中心的な通りである西の流山街道（県道5号線）の方に真っ直ぐ向かってしまうのですが、駅舎の北側、駅を出て右側に「ｍａｃｈｉｍｉｎ」というコミュニティスペイス兼観光案内所があります。

実は、筆者は流山駅に降り立ってもその存在に気づいておらず、手塚純子『もしわたしが「株式会社流山市」の人事部長だったら』（二〇二〇年）を読んで、初めて「ｍａｃｈｉｍｉｎ」のことを知りました。駅舎の使われていなかったタクシー車庫を改装して二〇一八年にオープンしており、一般的な観光案内所のような看板がないためすぐにわからないかもしれません。『もしわたしが「株式会社流山市」の人事部長だったら』によると、典型的な観光案内所が意図されているわけではなく、市民の活動のためのコミュニティスペイスに観光案内所の機能を持たせた拠点というコンセプトのようです。中に入ると奥でコミュニティ活動のためのミーティングをやっていたりしますが、砂糖を使わず流山の名産である本みりんを使った〝みりんクッキー〟などが売られています。

「ｍａｃｈｉｍｉｎ」の北側の百メートル近いトタンの壁には、これも「ｍａｃｈｉｍｉｎ」の活動の一環として、イギリス出身のアーティストによる壁画が描かれています。

流山駅から流山街道に出て少し北に行くと、流山市立博物館と中央図書館があります。博物館ではみりん産業の発展等流山の歴史に関する展示を見ることができます。

この博物館と図書館があるところ、「加（か）」という一字の面白い地名なのですが、小高い台地なっています。江戸時代にこの加一帯は、現在の静岡県藤枝市の駿河国田中城に藩庁を置いた田中藩本多家の飛び地でした。そして幕末には、この台地の上に田中藩の陣屋が設けられていました。

田中藩本多家は新政府発足後、徳川慶喜の後徳川（宗）家を継いだ徳川家達が駿河国に入ることになったことを受けて安房国に転封されます。一八六八（明治二）年に下総国内の旧幕府領を管轄するための葛飾県が設けられ、県庁は空いていた旧田中藩の陣屋に置かれました。県名も葛飾郡加村に置かれた県庁の郡名から採用されています。その後、一八七一（明治四）年の廃藩置県により、下総国の大部分を管轄する印旛県が設置されます。印旛県の県庁は、印旛県佐倉に置かれる予定であり、だからこそ印旛県という名前になったわけですが、適当な庁舎が確保できない等の理由により、一八七二年に葛飾県庁であった旧田中藩の陣屋が印旛県県庁になります。

印旛県は翌一八七三年六月一五日に旧上総・安房を管轄する木更津県と合併して千葉県が誕生していますので（県庁は千葉町）、旧田中藩の陣屋が県庁であったのは、明治初年の短い期間であったことになります。ちなみに六月一五日は現在千葉県民の日とされています。

加村、現在の流山市が短期間とはいえ県庁所在地になったのは、庁舎として使える陣屋があったという理由の他に、東京への距離とアクセスがあったかと思います。明治初年には鉄道はなく、江戸川沿いにある現在の流山は、水運で容易に東京にアクセスすることができました（また、明治時代初めに江戸川に橋は架けられていませんでした）。「都心から一番近い森のまち」という現代の流山市のキャッチフレーズは明治初年にも通用するものであったのかもしれません。

市立博物館と図書館を出て流山街道を南に戻ると、流山街道から西側の江戸川河岸に近い通りは、流山本町　江戸回廊と呼ばれ、明治時代に建てられた呉服屋等古い建物も残っています。とはいっても本当に古い歴史的な建物はごく一部で、多くは一般的な住宅ではあるのですが、各建物の前には、例えば、「荒物雑貨商元佐野屋」などといった屋号と一つ一つ異なった切り絵を付けた行灯（あんどん）が設置されており、通りを風情のあるものにしています。

流山本町　江戸回廊近くには近藤勇陣屋跡もあります。一八六八（慶応四）に京都

から撤退した新選組は甲陽鎮撫隊と改名し、流山に集結します。その理由はやはり、流山はみりん醸造業で発展しており、江戸からの水運を利用して旧幕府方の兵が集まりやすかったからでしょう。近藤勇は変名を使っていましたがここ流山で新政府方に捕縛されてしまいます。

なお、江戸回廊にある和菓子屋「清水屋」は建物自体が国登録有形文化財であるのですが、和菓子屋としても〝陣屋もなか〟などの名物があります。この〝陣屋もなか〟は近藤勇陣屋跡に建つ土蔵をかたどった形をしています。

江戸回廊をさらに南下すると流山キッコーマン株式会社があり、ここでみりんが醸造されています。流山では一八世紀後半にみりん醸造が始まり、それまで褐色であったみりんを透明にした白みりんは流山発祥であり、天晴みりん及び万上みりんの二大銘柄がありました。

流山キッコーマンは一八一四年に堀切紋次郎が醸造に成功した万上みりんの流れを受け継いでいます。みりんの原料はもち米、米麹及び米焼酎ですが、醤油醸造で栄えた野田と同様、下総の米を原材料として確保できたことと、江戸川を通じた江戸への水運の便に恵まれていたことが流山でみりん醸造が盛んになった理由です。

流山市流山の一茶双樹記念館
（再現された秋元本家）

流山キッコーマンを過ぎてさらに南に行くと、一茶双樹記念館があります。これは信濃出身の俳人小林一茶と、白みりん開発者の一人、秋元双樹（俳号）を記念したものです。

どうして小林一茶と流山のみりん醸造が関係しているのでしょうか。

まず小林一茶から述べると、小林一茶は江戸時代後期の化政文化を代表する俳人であり、高等学校の日本の教科書（笹山他『詳説日本史』〈山川出版社〉）では、「信濃の百姓小林一茶が村々に生きる民衆の生活をよんで、庶民の主体性を強く打ち出した」と紹介されていますが、小林一茶が俳諧を始めたのは、信濃から江戸に出てからであり、江戸地域で長年活動しています。

江戸と言いましたが、実は一茶が俳諧を始めるのに際し、現在の松戸市馬橋が関わっているとされています。そして一茶は、葛飾派と呼ばれる江戸東部や下総国を基盤とする俳諧グループに属していました。小林計一郎『小林一茶』（一九六一年）では、葛飾派について、「わりに地味な派で、田舎出の俳人が身をよせるにふさわしい俳団であった」とやや辛口に評しています。その意味では旧下総国葛飾郡やその周辺は一茶の俳諧の土台でもあり、教科書の言うところの庶民性は信濃のみならず江戸郊外の下総の地で育まれたとも言えます。

一茶は江戸を拠点としていたものの、東葛、さらには房総地域に多くの支援者（あるいはパトロンとも言えるかもしれません）を持ち、そのような支援者を定期的に訪問して俳諧活動を行っていました。一茶を俳諧の道に導いたともされる下総馬橋の油屋、大川立砂（おおかわりゅうさ）に加え、流山の醸造業者、秋元双樹も有力な後援者でした。

秋元双樹とは俳号であり、実業家としては五代目秋元三左衛門です。先程、流山のみりんには天晴みりんと万上みりんの二大銘柄があると述べましたが、天晴みりんの方は一七八二年にこの五代目秋元三左衛門が醸造を始めたとされています。従って、五代目秋元三左衛門（双樹）は白みりんの創始者と小林一茶のパトロンとしての俳人との二つの分野で知られています。

小林一茶は流山の秋元双樹の元を五十回以上も訪れたとされています。流山六丁目にある一茶双樹記念館は、秋元家の建物（客座敷）と庭があったところに、商家としての秋元本家及び書院を復元して加えたものです。

記念館内の敷地内には、「夕月や流れ残りのきりぎりす」という、一茶が一八〇四（文化元）年流山で詠んだ句碑があります。これは秋の句ですが、同じ文化元年の夏の句として、「刀禰川（とねがわ）は寝ても見ゆるぞ夏木立」という句を流山で詠んでいます。

さらに、同じ年に一茶が江戸本所の相生町の借家に引っ越した際には、「家財流山ヨリ来」と家財を秋元双樹から寄付してもらった旨が日記に記されており、親密さがうかがわれます。

筆者が一茶双樹記念館を訪れた際には、一茶双樹俳句交流大会という俳句イベントによる小学生の部から一般の部までの多くの俳句の短冊が記念館内に掲示されていました。小林一茶と秋元双樹の交流にちなむ俳句の文化が流山市民の間にも受け継がれているということでしょうか。

ところで、秋元家が創始した天晴みりんの醸造はどうなったのでしょう。

一茶双樹記念館の近く、流山街道沿いに、ケーズデンキ流山店の広い敷地があります。ここが元々天晴みりんの醸造所であり、二十一世紀初めまでメルシャン株式会社

流山市おおたかの森南
「流山おおたかの森Ｓ・Ｃ」

流山工場としてみりんの醸造を行っていたようです。今天晴本みりんは三菱商事ライフサイエンス株式会社日光工場でブランドを引き継ぎ生産されています。

このエリアは流山の歴史的中心ですが、本章冒頭で述べた人口が急増している理由は、いわば旧市街ではなく、つくばエクスプレス沿線です。とりわけ流山おおたかの森駅周辺は流山の新しい中心と言えるでしょう。

流山おおたかの森駅は柏駅から東武アーバンパークラインで二駅目です。駅周辺は高層マンションはないのですが、中低層のマンション・集合住宅に囲まれています。駅南口からはショッピングセンタである「流山おおたかの森Ｓ・Ｃ」に直接アクセスできます。高島屋系列であり、どことなく上品な雰囲気があります。また、大型映画館もあり、周辺市からも人を集めているのではないでしょうか（松戸では二〇一九年まで映画館がありませんでした）。

「流山おおたかの森S・C」から南に少し歩くと、市野谷水鳥の池という自然に配慮した調整池があり、居住地域と自然が共生する「森のまち」であると感じます。さらに行くと「Les Temps Plus（レ・タン・プリュス）」というフランス菓子の人気パティスリもあります。

歴史のある旧市街と新しい街、二つの異なった顔が流山市の特徴ではないでしょうか。

我孫子市―
旧相馬郡の町

我孫子市は他の八つ市の市と違い、江戸時代は下総国葛飾郡ではありませんでした。下総国であったのですが、相馬郡に属していました。相馬郡には他には今の茨城県の取手市や守谷市などが含まれていました。下総国相馬郡は利根川の両岸にまたがっていたわけです。

明治時代になり、利根川を千葉県と茨城県の県境にすることにし、一八七八（明治一一）年には利根川以南の千葉県に南相馬郡が、以北の茨城県に北相馬郡が発足しています。明治時代の郡には郡役所が設けられており、東葛飾郡の場合は松戸町に置かれていました。南相馬郡の場合、南相馬郡単独での郡役所ではなく、印旛郡佐倉新町に置かれた印旛下埴生南相馬郡役所という長い名前の三つの郡の共同役所でした。

南相馬郡は一八九七（明治三〇）年に廃止され、東葛飾郡に入っています。元々の相馬郡が北と南に利根川を境に分割されてしまい、南相馬郡は単独で郡役所を持って行政を運営していくには規模が小さかったのでしょう。茨城県北相馬郡の方は、北相馬郡利根町という形で今でも存続しており、我孫子市とも橋でつながっています。

このような歴史的経緯、また、地理的にも我孫子市は利根川を挟んで茨城県（取手市）と向かい合っているところから他の東葛飾郡の市よりも茨城県との関係が深いようにも思われます。

それでも我孫子駅はＪＲ常磐快速線の停車駅であり、東京都への通勤通学者比率は約二十九パーセント（千葉県・二〇一五年）と千葉県市町村の中で七番目の高さです。また、商圏としても隣接する柏市にショッピングに出かける市民が多いのではないでしょうか。

我孫子に住んでいる方にかつて相馬郡であったことについて聞いてみたのですが、「昔は相馬氏の領地だったと聞いたことがあるけれども……」ということで茨城県側との旧相馬郡としてのつながりを意識することはあまりなさそうでした。

我孫子というのは、関東でも比較的知名度があるのではないかと思います。まず地名の「あびこ」からして難解で、関東以外の人にとっては直ちに読むのは難しいのではないでしょうか。

我孫子の由来は、我孫子市のウェブサイトによると、地名自体は鎌倉時代まで遡るものの、由来となると明確ではありません。我孫子とは我孫子氏という人名であり、古墳時代に大和朝廷から地域の有力な豪族に付けられたのではないかとの説が示されています。実際に我孫子には古墳群や千葉県北西部としては最大規模の水神山古墳という古墳があるとのことで、大和朝廷と密接な関係をもつ有力な豪族がいたのかもしれません。

ただし、我孫子が知名度があるのはＪＲ常磐緩行線の存在が大きいでしょう。多くの常磐緩行線は我孫子を出てそのまま東京メトロ千代田線に乗り入れ、さらには千代田線の終点代々木上原を越えて小田急電鉄小田原線の向ヶ丘遊園（川崎市多摩区）に向かいます。一番遠いと伊勢原行きというのもあるようです。逆に言うと小田急沿線の神奈川県に住んでいる人は我孫子行きの電車を通じて、我孫子というどことなくエキゾチックな地名に触れているということです。

二〇一九年一二月にテレビ東京の「出没！アド街ック天国」で「千葉我孫子」が取り上げられましたが、「気づいたら我孫子」として、常磐線に乗り入れる東京メトロ千代田線の終着駅であり、深夜に寝過ごして家に帰れなくなってしまう人を取り上げていました。

我孫子駅にはいきなり名物があります。駅のプラットフォームにある立ち食い蕎麦屋の「弥生軒」です（常磐快速の発着するプラットフォームに計三軒あるようです）。駅に蕎麦屋があるのは珍しくなく、普通のことです。ただしこの「弥生軒」で出される〝唐揚そば（うどんもあります）〟はその唐揚げのボリュームから名物とされています。駅の蕎麦屋ですから注文するとすぐに出てきます。唐揚げは1ヶ入りと2ヶ入りとがありますが、唐揚げは非常に大きいため、初めての方は1ヶで十分のように思います。この唐揚げ、やや冷えているものを麺の上に載せているので、初めに食べるというよりも麺の中に沈めて汁を浸み込ませてからゆっくり食べたほうが美味しいかと思います。

「弥生軒」が知られているのは、〝唐揚そば〟によるだけではありません。放浪画家あるいは映画『裸の大将』で知られる画家の山下清は、第二次世界大戦中放浪していましたが、五年ほど我孫子駅で弁当を販売していた「弥生軒」で働いていました（プラットフォームで蕎麦を出していたわけではありません）。

我孫子駅から南の手賀沼（てがぬま）の畔にある我孫子市生涯学習センターアビスタでは、ちょうど二〇二〇年一一―一二月に、市制施行五〇周年記念事業として山下清展を開催していました。山下清は東京出身ですが、市川市の施設八幡学園に入っており、脱走して放浪を繰り返します。鹿児島等南方にも行ってはいるのですが、千葉県が拠点でもあり千葉県内を多く巡っているようです。戦後に山下清は「日本のゴッホ」とも呼ばれ世間に名が知られるようになりますが、弥生軒との縁で昭和三〇年代などに弁当の包装紙の絵を描いています。

ところで、唐揚げが我孫子の名物かというとそうではありません。我孫子の名物はウナギです。江戸時代から戦後まで我孫子の南に横たわる手賀沼はウナギの産地として知られていました。

我孫子市のマスコットキャラクタは、ウナギをモティーフとした「手賀沼のうなきちさん」です。また、市内には鰻の老舗があります。例えば、我孫子駅を南口に出て左、東に行くとある「安井屋」では、鰻の食事と佃煮の販売店舗が併設されています。また、我孫子駅南口からまっすぐ南に行くと、やはり老舗の「う多川（うだがわ）」があります。この「う多川」、店の看板の「多」の表記が多に濁点という珍しい字で表記されています。

女将さんに伺ったところ、以前は普通に「だ」だったものを五十年程前に「多」に濁点にしたとのこと。「多」の崩した字体がウナギのように見え、かつ濁点も残したということでしょうか。よくわかりません（葛飾区立石の「もつ焼き宇ち多」も多に

濁点で表記されています)。今は鰻の値段が高くなり、うな重も税込み三千円程はします。いずれの店もタレがバランスよく浸み込んでおり、ご飯をおいしく食べることができます。

食事の話から我孫子の街歩きに戻りましょう。

我孫子駅南口から少し南に行くと旧水戸街道です。我孫子の街は水戸街道の我孫子宿として発展しています。旧水戸街道を東、取手方向に行くと、左折し、また右に曲がるかぎ状の通りがあります。ここに我孫子宿本陣跡という案内柱が建てられていますが、付近はマンションであり残念ながら旧街道の趣はありません。

駅前の交差点に戻り、前述した「う㕝川」を過ぎて南に高台から下ると、手賀沼の畔に出ます。すでに触れた我孫子市生涯学習センターアビスタもここにあります。広い手賀沼では冬の(コブ?)ハクチョウなど様々な鳥を見ることが出来、我孫子には皇族と関係の深い山階鳥類研究所や我孫子市鳥の博物館もあります。

我孫子市はまた、文学、文化人の街でもあります。とりわけ大正時代には志賀直哉、武者小路実篤、柳宗悦といった人間に肯定的なことを特徴とする白樺派の作家、文化

手賀沼と我孫子市高野山新田
「手賀沼親水広場・水の館」

人が手賀沼の畔に居を構えていました。

我孫子駅前には我孫子市ゆかりの文化人を紹介する案内板が設置されています。駅前からまっすぐ来た手賀沼湖畔から西にしばらく歩いた台地の上の方には大正時代にこの地に住んだ武者小路実篤の屋敷跡がありますす（現在は別の住宅が建っており、案内板があるだけです）。また、その付近には根戸船戸緑地という森と、集合住宅に囲まれてはいますが根戸船戸二号墳という古墳もあります。前述したように手賀沼を望む台地上に古墳時代の有力者の拠点があったのでしょう。

現代作家で芥川賞作家でもある磯崎憲一郎は我孫子市出身で、小説『世紀の発見』（二〇〇八年）にはこの根戸船戸二号墳の名前が登場します。

今度は逆に東の方に二キロほど駅前から来たところを越えて歩いて行きます。台地（関東では台地の崖を「ハケ」と言うようです）の麓の道沿いに、我孫子ゆかりの白

樺派の文化人を紹介する白樺文学館と志賀直哉邸跡があります。志賀直哉と武者小路実篤は姻戚でもあり、親しい間柄だったのですが、我孫子における互いの家は二キロほど離れています。舟を使って往来していたそうです。志賀直哉の私小説『和解』(一九一七年)は我孫子居住時執筆された私小説であり、冒頭二行目に「自分は墓参りの為め我孫子から久し振りで上京した」と我孫子の名前が出てきます。

さらに台地の下の「ハケの道」を東に進み、柏市とを結んでいる手賀大橋のたもとを越えると、湖と緑と相まって北ヨーロッパを連想させるような「水の館」が建っています。水の館の一階にはあびこ農産物直売所　あびこんがあり、農産物や我孫子の土産物「我孫子市ふるさと産品」を販売しています。

我孫子市ふるさと産品には、例えば、〝白樺派のカレー〟(レトルト)があります。白樺派の文化人柳宗悦の兼子夫人(声楽家でもあったそうです)が作った味噌を加えたカレーを再現したものです。また、〝将門麦酒(まさかどびーる)〟というものもあります。

平安時代の平将門と我孫子が関係あるのでしょうか。我孫子市日秀(ひびり)の将門神社が監修しているから、というのもありますが、我孫子市(と柏市の一部)は平将門の根拠地の一つ、相馬郡に属していた、という背景もあります。アルコール度数七・五パーセントの平将門の力強さをイメジしたビールです。

我孫子市の東の端、印西市との境に布佐と呼ばれる地域があります。我孫子駅からJR成田線という単線の路線が出ており、我孫子駅から四駅、十六分程で布佐駅です。

この布佐、今はあまり知られておらず、静かな住宅地域ですが、江戸時代には江戸に魚を運ぶ重要な役割を担っていました。江戸時代、銚子の魚は、利根川を遡り、第六章で紹介した関宿まで行かずに布佐の河岸で魚を馬に積み替え、布佐と松戸とを結ぶ鮮魚街道と呼ばれる街道で運ばれていました。松戸の江戸川の河岸でまた船に積み替えて江戸日本橋に向かいます。

乙川優三郎『さざなみ情話』（二〇〇六年）の舞台は松戸河岸が中心ですが、利根川と江戸川とで荷を運ぶ高瀬舟の船頭の物語で、布佐の名前も登場します。

現在の布佐にかつての河岸や鮮魚街道を偲ばせるものはほとんど残っていませんが、利根川堤防近くに小さな布佐観音堂があります。この観音堂は鮮魚街道で働いた馬の慰霊のためのものだそうです。裏手には我孫子市教育委員会による「生（鮮魚）街道」の案内板もあります。

ところでこの観音堂、表には新四国相馬霊場第五十八番との石柱があります。相馬の地名に目が引かれますが、相馬霊場とは江戸時代に四国の八十八ヶ所霊場を相馬郡に写したもので、取手市、我孫子市及び柏市に設定されているようです。

このように我孫子市は千葉都民の町でありながら、かつて多くの文化人が居を構えたことも含め、他の旧葛飾郡の町とはまたちがったアイデンティティを持っているようです。

鎌ケ谷市―
交通の要衝へ

鎌ケ谷(かまがや)市というのは、本書で取り上げる九つの市の中で一番地味な市かもしれません。

ところで、鎌ケ谷市のケは市の名前としては小文字でなく大文字のケを使います。鎌ケ谷市は一九七一（昭和四六）年に市制を施行していますが、一九七一（昭和四六）年七月の千葉県指令第一七四一号、鎌ケ谷市設置指令では「鎌ケ谷市」と表記されています。

越谷オサム『陽だまりの彼女』（二〇〇八年）というファンタジー恋愛小説があり、小説では鎌ケ谷市が主人公達の「故郷」というか実家として登場します。鎌ケ谷について掘り下げて描写されているわけではありませんが、鎌ケ谷は主人公たちによって「千葉の片田舎」や「千葉の僻地」とされ、また「農地がまだまだ多い鎌ヶ谷の風景」と東京のそれとが比較されて語られています。

主人公の男性は、「東京の大学というのが、千葉の片田舎に住む男子中学生にとっての「ここではないどこか」の象徴的存在だったのだろう」と、「ここ」鎌ケ谷を抜け出すことを望みます。また、直接比較されているわけではありませんが、主人公たちが入った鎌ケ谷駅近くのイタリアンレストランは、メニュー、ウェイトレス及び内

装に関して、「片田舎の店らしく」、「一言でいえばぱっとしない店だ」と評され、偶然会った中学校時代のあまり品のよくない同級生と気分を害するやりとりをすることになります。それ以前に二人が食事をした渋谷のオージー・スタイルのステーキレストランの洗練さとのコントラストが象徴的です。

第七章の柏市でも紹介した五十嵐・開沼編『常磐線中心主義』（二〇一五年）の五十嵐泰正「序章　寡黙で優秀な東京の「下半身」」は、ヤンキーの「名産地」としての千葉・茨城に触れ、常磐線沿線の特徴の一つとして「若干ガラの悪い「田舎」」を挙げています。勿論五十嵐準教授は特に鎌ケ谷について述べたわけではありませんが、常磐線沿線のいわば「洗練されていない」というイメジは鎌ケ谷にも当てはまっていると思われます。

鎌ケ谷市のウェブサイトでは「やがて故郷に変わる街」をキャッチフレーズにしています。第八章で紹介した流山市の「都心から一番近い森のまち」と似ていますが、流山市のキャッチフレーズが東京に通勤する現役サラリーマンを思い浮かぶのに対し、鎌ケ谷市の方は、長い時間をかけて街になじみ、子供の独立後の落ち着いた生活をもほうふつとさせます。

「鎌ケ谷市ふるさと産品協会」による産品の中に、鎌ケ谷市初富のコーヒー店、株式会社イデカフェによる〝鎌ヶ谷珈琲特別編〟というドリップバッグ入りコーヒーがあります。コーヒーは特に鎌ケ谷の名物というわけではないのですが、この「イデカフェ」のコーヒーは、東葛飾、鎌ケ谷の豊かな里山など、鎌ヶ谷の心をコーヒーで表現したものだそうです。あまり尖っておらずマイルドでバランスのとれた味わいは鎌ケ谷をうまく表現しているのかもしれません。

他方で鎌ケ谷市の特徴として、都心への通勤に加えて、成田空港へのアクセスの双方をアピールしています。旧東葛飾郡に住んでいる人にとって鎌ケ谷とは成田空港に行く際に乗り換えるところ、という印象が強いのではないでしょうか。

鎌ケ谷の鉄道の中心は、新鎌ヶ谷駅になります。新鎌ヶ谷駅では三つの路線が交錯しています。北総鉄道北総線・京成成田スカイアクセス線、新京成線及び東武アーバンパークラインです（北総線と成田スカイアクセス線は事実上同一路線）。成田スカイアクセス線のスカイライナーは新鎌ヶ谷駅には停車しませんが、成田空港発のアクセス特急が停車します。鎌ケ谷市は成田空港から新鎌ヶ谷、新鎌ヶ谷から都心の上野までいずれも三〇分未満と、成田空港及び都心双方へのアクセスの良さを謳っています。それだけではなく、東武アーバンパークライン及び新京成線があるため、成田空港から新鎌ヶ谷で乗り換え、柏、船橋及び松戸といった旧東葛飾郡の主要都市に二〇分以内でアクセスすることができます。

成田空港と東京とを結ぶ接点としての鎌ケ谷の位置付けは鉄道だけではありません。成田市と市川市の約四十三キロを結ぶ北千葉道路（国道464号線）というバイパスの道路計画があります。この北千葉道路は成田空港から鎌ケ谷市を通って市川市で東京外環自動車道に接続する予定であり、東京外環自動車道は上り内回りでは埼玉県経由で練馬区に至り、下り外回りではさらに首都高速湾岸線に接続しています。

この北千葉道路、成田市から鎌ケ谷市までは開通済み、もしくは事業中（建設中）なのですが、鎌ケ谷市から市川市までが事業化されておらず、計画はあるのですが建設に向けてのプロセスが始まっていない状況です。鎌ケ谷市はこの北千葉道路の建設促進に力を入れており、清水鎌ケ谷市長も北千葉道路建設促進期成同盟という関係市による枠組みの会長になっています。

新鎌ヶ谷駅を東側に出て、北の方に少し歩くと、成田方向から来て鎌ケ谷市で途切れている北千葉道路を見ることが出来ます。北千葉道路は中央分離帯のある片側二車線なのですが、鎌ケ谷の交差点で途切れてT字路になっています。その先は梨園等になっています。

駅方向に戻ると「イオン鎌ケ谷ショッピングセンター」があり、その中には「鎌ヶ谷ブランド館」という鎌ケ谷のふるさと産品を売っているコーナーがあります。前述の〝鎌ヶ谷珈琲特別編〟もここで売っていますし、鎌ケ谷特産の梨を使った梨サイダーや梨ワイン〝梨のささやき〟あります。この梨ワイン、梨は鎌ケ谷産ですが、醸造は山梨県甲州市で行われているようです。ブドウ以外のフルーツワインにありがちな甘い味ではなく、すっきりとした白ワインに近い味わいです。

さらに二〇二〇年一二月には〝かまたん梨カレー〟(甘口)も加わっています。イオンから鎌ケ谷市役所を見ながら南に進むと、小さいですが鎌ケ谷市郷土資料館があり、鎌ケ谷市の歴史について学ぶことができます。

近くの北初富駅から新京成線で鎌ヶ谷大仏駅に行きます。

江戸時代の鎌ケ谷市は小金牧の一部であったと同時に、木下（きおろし）街道の宿場町でもありました。木下街道とは、現在の市川市行徳の江戸川沿いの行徳河岸から印西市の利根

川沿いの木下河岸までを結ぶ道で、木下という名前は木材を運搬したことから付けられたという説もありますが、江戸時代中期以降は銚子などの鮮魚を江戸に運ぶための道筋として活発に利用されたそうです。

鎌ヶ谷宿は鎌ヶ谷大仏駅から木下街道を南西に行った延命寺というお寺から駅北東の鎌ヶ谷大仏や（鎌ヶ谷）八幡神社があるエリアであったそうです。ただ今街道を歩いても旧街道といった趣はあまりありません。

鎌ケ谷市鎌ケ谷の鎌ヶ谷大仏

鎌ヶ谷大仏が江戸時代の鎌ヶ谷宿の名残とも言え、鎌ケ谷市のシンボルでもあります。この大仏は一七七六（安永五）年に、鎌ヶ谷宿の大国屋文右衛門が祖先の冥福を祈るために鋳造させたもので、大仏という名前ですが高さは一・八メートルです。奈良の大仏が一四・七メートルですから相当小さいです。大仏と名前が付いているものの中では一番小さい部類だと言われています。ちなみに大仏が駅名になっているのも鎌ヶ谷大仏駅だけだそうです。

鎌ヶ谷大仏周辺にはお店にも大仏と付いています。大仏から通りを挟んで向かい側には「大仏庵」という蕎麦屋があります。ただ、メニューに鎌ケ谷や大仏にちなんだものがあるわけではありません。大仏から少し北東に行くと清田精肉店というお肉屋さんがあります（住所は鎌ケ谷市でなく船橋市になります）。ここではコロッケの形状が瓢箪型というか大仏型になっている〝大仏コロッケ〟を買うことができます。

鎌ケ谷市中沢・ファイターズ鎌ケ谷スタジアム

鎌ケ谷のもう一つの見どころは、中沢の「ファイターズ鎌ケ谷スタジアム」です。ここは北海道日本ハムファイターズのファーム、いわゆる二軍の本拠地であり、イースタン・リーグの試合が開催されています。一応の最寄り駅は東武アーバンパークラインの鎌ケ谷駅ではあるのですが、かなり離れており、バスやタクシーで球場に向かうことになります。タクシーですと千円程度ですが、駅前にタクシーの台数はあまり多くありません。

二〇二〇年は新型コロナウィルスの影響でシートは一つずつ間隔を空けて観客を入れていましたが、一一月のシーズン最終戦は千席以上のチケットが完売していました。グラウンドはセンタ一二二メートル、両翼一〇〇メートルと東京ドームと同規模です。観客を入れているのは椅子のある内野のみで外野席はありません。スタジアム内には「鎌スタ☆キッチン」などの売店があり、豚丼である〝鎌スタ☆丼〟や〝ハム☆勝カレー〟を売っています。カツカレーというのは〝勝〟につながるので競馬場やスポーツ観戦では一般的ですが、ファイターズスタジアムでは日本ハムにちなみはハムカツのカツカレーです。

ファイターズのみならず相手チームを応援している観客も多く来ています。必ずしも交通の便はよくありませんが、一九九七年の球場の開場以来、時間をかけて地元に根付いてきたのでしょう。鎌ケ谷市は他の旧東葛飾郡の市と比べて地味であることは確かです。ただし、市のキャッチフレーズである「やがて故郷に変わる街」が示すように、鎌ケ谷市の味わいというのは時間をかけて浸透して行くものなのではないかと思います。

浦安市―
『青べか物語』の世界

本書で紹介する九つの市の最後を飾るのが浦安市です。

浦安市は一九八一（昭和五六）年に市制を施行しており、市としては若い市です。しかしながら旧東葛飾郡の中では、全国的にも群を抜いて知名度のある市であり、千葉県居住者の中でも、東京に通勤する千葉都民の中にヒエラルキーがあるとすれば、浦安市が頂点とみなされるでしょう。

全国的には千葉県と言えば、浦安市のディズニーリゾートと成田市の成田国際空港の名前が上がります。千葉都民にとって浦安市は都心に最も近く、また、一人当たりの課税対象所得では千葉県内第一で、全国的にも高順位です（四五三万円・『地図で楽しむ本当にすごい千葉』（宝島社・二〇二〇年））。とりわけ京葉線沿線の海岸部は南国リゾートを連想させる居住地域でもあります。

他方でこのような華やかな印象をもつ浦安市ですが、歴史的に古いものではありません。浦安「町」に鉄道が通ったのは、一九六九（昭和四四）年に地下鉄東西線の開通からです。ディズニーランドの開業は一九八三（昭和五八）年、ＪＲ京葉線の開通は一九八八（昭和六三）年です。

都心に通勤する千葉都民が増える以前の浦安はどうだったのかというと、長らく貝

漁を中心とした漁師町でした。古い漁師町としての浦安は、山本周五郎の『青べか物語』（一九六〇年）で描写されています。山本周五郎は戦前の一九二八（昭和三）年夏から翌一九二九（昭和四）年秋までの一年余り、浦安に居を定めています。小説では浦粕町という名になっているものの、戦前の浦安町の雰囲気を知ることが出来ます。

『青べか物語』の冒頭の「はじめに」で浦安の様子が記されています。

「浦粕（浦安）町は根戸（利根）川のもっとも下流にある漁師町で、貝と海苔と釣場とで知られていた。……町は孤立していた。北は田畑、東は海、西は根戸側、そして南には「沖の百万坪」と呼ばれる広大な荒れ地が広がり、その先もまた海になっていた。交通は乗合バスと蒸気船とがあるが、多くは蒸気船を利用し、……」

この「はじめに」は、戦前の浦安町をうまくまとめていると思います。まず、浦安の主な産業は漁業、とりわけ貝の生産、流通では日本有数の市場で、「貝の相場は浦安で決まる」とも言われていたそうです。この成り立ちは同じ海に面していても佐倉街道沿いの宿などを背景に発展した市川市や船橋市とも異なります。

貝産業の中心となった理由としては、浦安が江戸川河口で育つアサリやハマグリの供給地であり、東京に隣接していることから、流通や貝むき、佃煮製造などの加工業も併せて発達したことが上げられます。ちなみに、現在でも船橋では漁業が行われていますが、浦安は一九七一（昭和四六）年に漁業権を放棄し、漁業は行われていません（船宿による釣り船はあります）。

『青べか物語』に「西の根戸川と東の海を通じる掘割が、この町を貫流していた」とあるように、浦安の東西に境川が流れています。漁業が行われていた最盛期には二千艘近くの船が川面を埋めていたそうですが、今では境川に船はほとんど見られません。

「男はつらいよ」シリーズの五作目、『男はつらいよ　望郷編』（一九七〇年）では舞台の一部が浦安町です。葛飾柴又から江戸川の船で寝たまま下流に流された寅次郎は浦安の豆腐屋に住み着くことになります（漁業関係ではないのですね）。漁業権放棄前に撮影されていることもあり、映画の最後の方には川に多くの漁船が浮かんでいるシーンが見られます。

『青べか物語』の浦安の地形で「東は海」とあります。これ自体今も変わっていないようですが、一九六〇（昭和四〇）年代に埋立地が広がる前には、浦安は今の地下鉄東西線浦安駅から浦安市役所までを中心にした南北に若干長く、東西には非常に狭

舞浜となり、今はディズニーリゾートが立地しています。

の河口に広がった大三角とも呼ばれていた干潟であり、やはりその後埋め立てられて

い町でした。また、「沖の百万坪」という荒れ地に言及されています。これは江戸川

古い浦安に触れるのならば、地下鉄東西線浦安駅から街歩きをスタートしたほうがいいです。浦安駅周辺は瀟洒な居住地という浦安のイメージとはまた違います。浦安駅北側には浦安魚市場がかつてあったのですが、二〇一九年に閉鎖されており、跡地はマンションになる予定です。

浦安の市制三十周年記念映画、『カルテット!〜Quartet!〜』（二〇一一年）では、鶴田真由演ずる母親が、浦安魚市場で働くシーンがあります。浦安魚市場跡北側には看板が茶色く年季の入っている海苔店があり、かつての魚市場の名残を感じさせます。

浦安駅から南に歩くと、「越後屋」あるいは「さつまや」という焼はまぐりのお店があります。ここでは焼あさりやはまぐりの串を一本単位で買うことが出来、貝の町浦安の伝統を伝えています。越後と薩摩という地理的に離れた地の店名の組み合わせが面白いです。さつまやの串の方が若干タレの味が濃いように感じました。

さらに南に行くと、前述した境川に出ます。この境川の左岸、北側を西の江戸川との分岐の方に進むと、釣り船の船宿、「吉野屋」があります。『青べか物語』の中に登場する船宿千本のモデルだそうです。近くの江戸川の土手は、戦前に東京方面への蒸気船の発着所があったことから、蒸気河岸（かし）と呼ばれており、『青べか物語』の中で作者の山本周五郎もまた「蒸気河岸の先生」と町の人から呼ばれていたそうです。

境川を東南の下流の方向に戻ります。境川の左岸（北側）、浦安駅のある方向が猫実（ねこざね）、右岸（南側）が堀江、元々は別の村であり、猫実村、堀江村及び猫実の北にある当代島村の三村が明治時代（一八八九年）に合併して浦安村が出来ています。

右岸、堀江の側を歩いて行くと、新橋という橋の近くに浦安町役場跡があります。一九七四年（昭和四九）年までここに浦安町役場があり、隣には漁業協同組合の事務所もあり、浦安の政治・経済の中心であったそうです。『青べか物語』の「はじめに」でも「西の根戸川と東の海を通じる掘割が、この町を貫流していた。蒸気河岸とこの堀に沿って、釣舟屋が並び、洋食屋、ごったくや（小料理屋）、地方銀行の出張所、三等郵便局、巡査駐在所、消防署……そして町役場などがあり、……」と境川に沿った町の様子を描写しています。

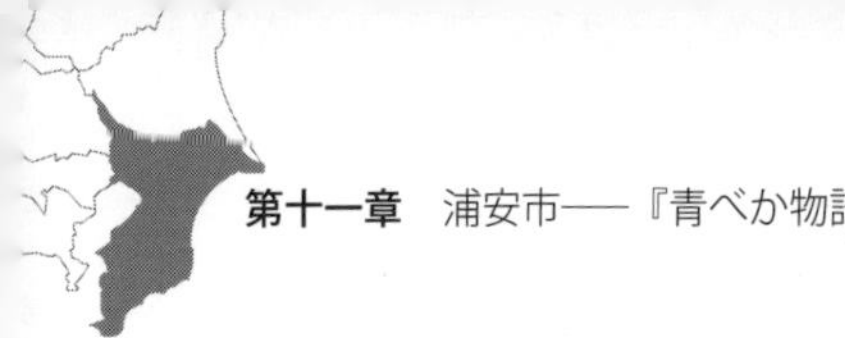

旧東葛飾郡のこれまで見てきた市と違い、浦安は陸の街道ではなく、川と船、そして漁業を中心に町が出来てきています。浦安町役場跡の隣は清龍神社という神社です。浦安の土台となった三つの村の一つ、堀江村の鎮守で、猫実及び当代島の鎮守と一緒に四年に一度浦安三社祭りが行われています。また、境川沿いには古い文化財住宅である旧宇田川家住宅（浦安市指定有形文化財）と旧大塚家住宅（千葉県指定有形文化財）があり、見学することができます。

旧宇田川家住宅は一八六九（明治二）年、旧大塚家住宅は江戸時代末期の建築とされています。また、旧大塚家住宅については、境川のある方に土間があり、この川方向に土間を設けるのが浦安の民家の特徴であったそうです。これも川を中心に人間が動いていたことを反映するものでしょう。ただし、境川沿いに東南の下流に歩いていても、例えば明治時代創業の煎餅屋「浅田煎餅本舗」のような老舗はあるものの、基本的には静かな住宅街で、かつてのような川と船を中心にした賑やかさは感じられません。昭和四〇年代の埋め立ての進展、地下鉄東西線開通、漁業権放棄、そして浦安町役場の移転の一連の出来事が浦安を大きく変容させたのでしょう。

浦安市猫実の浦安市郷土博物館
（1952年頃の浦安を再現）

左岸の猫実の終わりに近づいてくると、浦安市役所の手前に浦安市郷土博物館があります。浦安市の裕福な財政を反映しているのでしょうか、人口約十七万人の市の博物館としては非常に立派で展示も充実しています。

展示の一つとして、元漁師さんの浦安の方言での会話を聞くことができます。人名にタツなあのように「なあ」をつけ、タツあにい、あるいはタツさんという意味になるそうで、『青べか物語』にも「助なあこ」といった表現が出てきます。しかし博物館で再現されている漁師言葉は何を言っているのか聞き取れません。関東のべーべー言葉や東京下町のべらんめえ言葉とも違うようです。

博物館では一九五二（昭和二七）年頃の浦安の街並みが再現されています。山本周五郎が浦安に滞在したのは戦前ですが、『青べか物語』の世界はこのようなものだったのでしょう。

ところで、「青べか」とは何でしょうか。これはべか舟という東京湾で見られた船

であり、『青べか物語』では「べか舟というのは一人乗りの平底舟で、多くは貝や海苔採りに使われ、……」と紹介されています。主人公が買ったべか舟は外側が青いペンキで塗ってあったため青べかと呼ばれています。

博物館には「カフェレストランすてんぱれ」が併設されています。すてんぱれとはすってん晴れ、晴天を意味する浦安の言葉だそうです。ここでは、浦安ならではのあさり丼を食べることが出来ます（浦安で現在漁業は行われていませんが）。

現在の浦安市役所のあるところは、埋め立てで町が広がる前の元々の浦安という意味での元町地域の東南端です。今は埋め立てによって広がった市域のちょうど真ん中に位置する格好になっています。浦安市役所から境川をさらに東南に下るとＪＲ京葉線にぶつかります。左折して少し東北の方に行くと新浦安駅です。ここは住居地域であり、イオンスタイル新浦安などの大型商業施設は周辺居住者で賑わっています。どことなく住民の服装もファッショナブルのような気がします。

新浦安駅から京葉線で東京方向に一駅でディズニーリゾートのある舞浜駅です。新浦安から舞浜の間には電車の窓から浦安鉄鋼団地が見えます。鉄鋼の流通・加工業の集積地で、居住地及びディズニーリゾートに並び、鉄鋼業も浦安、特に埋立地エリアのもう一つの顔です。ところで、浜岡賢次による『浦安鉄筋家族』（一九九三年〜）という漫画がありますが、この浦安鉄鋼団地が直接の舞台というわけではないようです。

舞浜駅はディズニーリゾートへの観光客でいつも混雑しています。ディズニーリゾートも新型コロナウィルスの影響を受けていますが、二〇二〇年九月にはディズニーランドに「美女と野獣」をテーマにしたエリアをオープンさせるなどアトラクションはさらに充実しています。また、舞浜ではディズニーリゾートに入園しなくてもオリエンタルランドグループが運営する商業施設であるイクスピアリがあり、ショッピングや食事を楽しむことができます。

全国的にもディズニーリゾートでそのイメジが規定されている浦安市ですが、歴史的には漁師町を土台にしており、浦安市郷土博物館に見られるように、浦安市としてもその歴史的背景を大切にしているように見受けられます。

千葉都民の個性とアイデンティティ

これまで、旧東葛飾郡の九市をそれぞれ見てきました。そこから何が言える、あるいは得られたのでしょうか。旧東葛飾郡は、東京に通勤・通学する千葉都民が多く住む町です。この千葉都民の街、旧東葛飾郡という土地、あるいはそこに住む住民に何か個性やアイデンティティはあるのでしょうか。

ここでいうアイデンティティとは、江戸時代以来、江戸及び東京の周辺部という位置付けであった旧東葛飾郡及び住民にとって、東京との相対性、端的にいうと千葉都民には東京都民とは違う何か独自のアイデンティティがあるのかどうかということでしょう。

ところで、最近の動きとして新型コロナウィルスを受けた新しい働き方、生活様式として、居住地を都心から郊外に移す動きが報じられています。『週刊スパ』（扶桑社）二〇二〇年一一月一〇日号では「「移住するなら千葉」最強説」という記事が掲載されていました。この記事では「田舎と都会の良さを併せ持つ千葉ならではの多様性が魅力！」とされていますが、千葉県北西部というよりも、「「ジェネリック」湘南こと九十九里」など、海岸沿いやゴルフ場のあるエリアに焦点が当てられているようです。東京二十三区から市川市に引っ越した家族も紹介されており、「都会の便利さを

享受しつつ、千葉の自然も堪能できるハイブリッド型子育て」ができることがメリットだとされています。

二〇二〇年六月に千葉県経済同友会が発表した『新型コロナウィルスの感染拡大の企業経営への影響調査（速報）』では、質問の一つにアフターコロナの千葉県経済の方向性（あるべき姿）があり、そこでは、働き方改革の推進として、「勤務形態の変化やオンライン教育の環境が整うことにより、都心との地域格差を埋められ、都心へ近い千葉県では、一極集中から地方創生の可能性も一段と高まる」、あるいは、「「リモートワーク化」の一層の定着・促進により、住みやすく・豊かな自然を持つ千葉そのものが、必要な時にはいつでも容易に東京へアクセスできる都市として発展する可能性がある」などといった意見が示されています。

筆者の勤める職場でも、フレックス&リモートによる場所、時間あるいは服装に規定されない新しい働き方の推進がテーマになっており、都心から地方に移住が集会で話題となった際、たまたまかもしれませんが千葉県の名前が複数の方から上がっていました。都心に必要に応じてアクセスできる距離と海に面したリゾート感の双方を併せ持つのは千葉県と神奈川県なのでしょうが、コスト面からは、前述の『週刊スパ』

の記事にジェネリック湘南という言葉があったように、千葉県の方が優れているのでしょう。また、千葉県内陸部には、ゴルフ、農業、牧場といった別の魅力もあります。

新型コロナウィルス後の二〇二〇年一一月に出版された伊藤・細川編『これでいいのか千葉県　東葛・葛南』（マイクロマガジン社）でも、新型コロナウィルスの影響で「東京を中心とした通勤形態にも変化が起きつつあり、東葛・葛南をはじめとした首都圏のベッドタウンは、自らのアイデンティティについて考え直す岐路に立たされている」と指摘しています。

ベッドタウンとして文字通り住むだけだった街から、仕事も含めて自宅で過ごす時間が長くなっている人が多くなっている現在、自宅周辺の街がどのようなところなのかな、と関心が向く機会も増えているのではないでしょうか。また、新型コロナウィルスが蔓延した直後の二〇二〇年三月頃には、千葉県民の東京都への移動の自粛という話もありました。千葉県と東京都の境である江戸川を越えることが意識される場面というのもこれまでほとんどなかったと思います。

アイデンティティには、土地の特徴とそこに住む人間のアイデンティティに分けて考えることもできると思います。では旧東葛飾郡の特徴とは何でしょうか。

第二章で紹介した武光誠『県民性の日本地図』は、「独自の地域性が生み出される前に、（千葉県を含む）関東地方南部は江戸文化圏にくみ入れられてしまった」と指摘していました。なぜ千葉県民には個性がないのか、という問いの答えとしてはそういうことでしょう。

江戸時代以降、下総国西部は、大きな城下町がなかったことと合わせ、江戸の町の膨張により、江戸への生活物資の供給地になりました。江戸から江戸川の対岸にある市川や松戸では梨などの果物の栽培が行われています。また、御三家の一つである水戸徳川家の水戸や佐倉、あるいは成田などとを結ぶ街道の駅として下総国葛飾郡の街は発展してきました。明治時代を経て第二次世界大戦後は住宅団地がつぎつぎと造成されて、都内に通勤する千葉都民を生み出しています（川名登編『房総と江戸湾』（二〇〇三年）。

歴史をこのように振り返ると、旧東葛飾郡の役割とは、常に江戸及び東京に規定されており、東京への物資の供給、東京に通勤するサラリーマンとその家族の居住地ということができると思います。それに加えて、水戸などの主要都市とを結ぶ、あるいは銚子などの魚を運ぶ街道として人や物が交錯する場所としての一面も持っています。こう考えると、物や人が東京に提供される、あるいは通過する場所ということですから、旧東葛飾郡の街自身が求心力を持って他地域の物や人を引き付けるということにはならない、という位置付けも仕方のないことなのかもしれません。

他方、旧東葛飾郡には地形的特徴があります。江戸川と下総台地です。千葉県は川が他県との県境になっており、東京との境界は江戸川です。東京に通勤する千葉都民は必ず江戸川を渡ることになります（木更津からの東京湾アクアラインで東京湾を横断する人もいるのかもしれませんが）。電車で通勤・通学する千葉都民にとって、江戸川の鉄橋の通過は一瞬です。それでも朝千葉県を離れ、晩に千葉県に戻ってくる際に、川の通過がいわばオンとオフのスイッチの役割を果たしていると感じる人もいるのではないでしょうか（夜間ですと川が判りにくいですが）。

地形的特徴はもう一つあります。江戸川の東京都側から松戸や市川の方角を望んだ際に見られる緑豊かな下総台地です（平日の通勤の場合は帰りが晩になりやはり判りにくいと思いますが）。とりわけ東京二三区東部が低地であるだけに、下総台地西端が千葉県の風景を特徴付けていると考えられます。第三章の市川市のところでも触れましたが、台地というのは戦略的に重要な場所であり、明治時代には市川市国府台に、

東京の東の防衛という役割もあったのでしょう、陸軍の施設が置かれていました。

下総台地があると言っても、市川や松戸を山の手とは言いません。ただし、明治時代以降、市川の台地には文化人が多く住んでおり、第五章で紹介したように、松戸の戸上が丘には最後の水戸藩主徳川昭武が邸宅を構えています。

では、旧東葛飾郡などに住む千葉都民には何かアイデンティティがあるのでしょうか。『地図で楽しむ本当にすごい千葉』（宝島社・二〇二〇年）では、千葉県北西部の千葉都民の県民性について、「郷土愛が薄い」及び「生活は完全に東京依存」とあります。村上春樹『1Q84　BOOK1』（二〇〇九年）では、主人公の一人は市川市で生まれ育ったという設定になっており、「天吾の級友たちの父親は、ほとんどが東京の都心に通勤するサラリーマンだった。彼らは市川市を、何かの都合でたまたま千葉県に編入されている東京都の一部のように考えていた」との記述があります。東京とつながっているのはいいとしても、住んでいる地域に関心が薄いのは残念な気がします。

人間を区分するのに言語や宗教があります。千葉県北西部に今、住んでいる人が東京都民と違う方言を話しているかというとそんなことはありません。ただ、戦前までは松戸あたりでも関東のベーベー言葉が話されていたのかもしれません。

大正六（一九一七）年の松戸町誌では、「関東ノベーベー言葉ニ居タリテハ当町モ亦其ノ類ニモレズ、語尾ニ「ベー」を附ス」とあります（『松戸町誌・小金町誌（大正六年）』（松戸市役所・一九六四年）。また、第十一章の浦安市郷土博物館で聞いた浦安の漁師言葉は確かに標準的な言葉とは違っていました。学校関係の用語は地域差があります。千葉県では小学校の午前中の二時間目と三時間目の間の少し長い休憩時間を「業間休み」と言っており、そこは東京の言葉との違いかもしれません。

日蓮宗の宗祖日蓮は千葉県（安房国）出身ですが、日蓮宗が千葉県に特徴的な宗教かというとそういうわけでもないと思います（総本山久遠寺のある山梨県では日蓮宗の信者が多いようです）。

あと文化と言えば衣食住です。千葉県北西部に特徴的な衣食住があるでしょうか。色鮮やかな服を着るというのが大阪人のステレオタイプとしてありますが、千葉県民の服装に特徴はないでしょう。

『あなたはどっち？　千葉都民　千葉県民』（マイクロマガジン社・二〇一九年）では、市川や船橋の主婦のファッションについて、幅の広いパンツを好む、ナチュラル派、といった記述があります。動きやすいカジュアルな服装を好む傾向はあるのかもしれません。

食については、日本では各都道府県に豊かな郷土食があります。アジなどで作る叩きの一種である「なめろう」は千葉県を代表する漁師料理です。千葉県内の居酒屋でも見ますが、千葉県北西部の人が専ら食べているというほどでもないでしょう。

千葉県北西部を代表する農産物は梨だと思います。小学生は梨園に校外学習で行ったりしますし、「幸水」、「豊水」、「あきづき」といった時期によって旬が変化していく梨の品種にも詳しいのではないでしょうか。あと千葉県で有名なのは落花生です。落花生そのものをそこまでよく食べているのかわかりませんが、落花生味噌（みそピー）をトーストにつけたりするのは千葉県ならではないかと思います。

住居については、これも千葉県ならではの家というものはないでしょう。マンションや集合住宅が多いという点では東京都内と変わりはありません。ただし、一戸建てについては、東京都内より大きさに余裕があるように思われます。平成三〇年住宅・土地統計調査では、一住宅当たり延べ面積について、東京都六五平方メートルに対して千葉県は八九平方メートルと大きくなっています（全国平均は九二平方メートル・

総務省統計局『平成三〇年住宅・土地統計調査』（二〇一九年））。

最後に、千葉県北西部の千葉都民のライフスタイルに何か特徴はあるのでしょうか。東京に通勤、通学し、東京と密接につながっていることは確かです。その上でアウトドアでのレジャを楽しむというのが千葉都民でないでしょうか。

特筆すべき個性がないと言われる千葉県民ですが、享楽的で遊び好きという意見もあります（山下龍夫『47都道府県ケンミン性の秘密』（二〇一四年）。千葉県の面積は五一五八平方キロメートル、東京都と神奈川県を合わせたより広いとされています。車を保有している人も多いでしょうし、休みの日には東京に隣接した旧東葛飾郡の後背に広がる千葉県の自然を楽しむことが出来ます。そこまで遠出をしなくても、大型ショッピングセンタに家族で車で出かけるのは千葉県民の典型的な休日の過ごし方かもしれません。

日常生活を送っている居住地域も一般的なイメジほど無個性なのでしょうか。これまでに見たように、各市ごとに歴史があり、少なくとも市役所は自分たちの市の特徴をアピールしようと取り組んでいるように見受けられます。なお各市の施策はいわゆる外向けの観光施策だけではありません。二〇二〇年一二月に発表された「共働き子

育てしやすい街ランキング2020総合編（日経DUAL及び日本経済新聞）」では、松戸市が全国一位になっています(柏市は十三位)。保育所の整備など、地域住民にとって暮らしやすい街づくりに取り組んでいるということでしょう。

二〇二〇年からの新型コロナウィルスを機に、働くスタイルも変化しており、必ずしも都心に住まず、例えば千葉県北西部のような郊外に住み、仕事と生活、余暇のバランスをとろうという人も増えているのではないでしょうか。

千葉県の旧東葛飾郡――どのようなところなのか住んでいる人も住んでいない人も関心を持つ意義は十分にあると思います。

おすすめのお店

筆者おすすめの飲食店や土産物屋です。本文中に挙げられたものが中心ですが、本文中で触れられていないものも含まれます。

○市川市

「房の駅シャポー市川店」　市川市市川一丁目一－一 Shapo 市川（千葉県の物産を売っています）

「ら〜麺あけどや」市川市市川南一丁目二－二二（行列の出来る人気店。味噌ら〜麺や毎回テーマが変わり一日の提供数量が限定的な限定麺で知られています）

「サイゼリヤ本八幡北口パティオ店」　市川市八幡二丁目一五－一〇　パティオ本八幡（八幡のサイゼリヤ一号店は営業していませんが一号館の最寄営業店。一号店の写真なども外壁に展示されています）

○船橋市

「居酒屋一九」　船橋市西船四丁目二六－三（名物の小松菜ハイボールが飲めます）

「Italian Kitchen BUONO ららぽーと TOKYO-BAY店」船橋市浜町二丁目一-一ららぽーとTOKYO-BAY（ホンビノスガイのアッレ・ヴォンゴレなど千葉県の食材を提供）

「中華料理大輦（だいれん）」船橋市本町四丁目二〇-一七（船橋「ソースらーめん」を提供）

○松戸市

「栄泉堂岡松」松戸市松戸一八〇九（旧水戸街道沿いにある和菓子の老舗）

「中華蕎麦とみ田」松戸市松戸一三三九（つけめんで知られる有名店。当日朝に食券購入あるいはインターネット予約サイトを利用しないと食べられません）

「Backstube Zopf（ツオップ）」松戸市小金原二丁目一四-三（行列のできる有名パン屋）

○野田市

「関宿城博物館ミュージアムショップ」野田市関宿三軒家一四三-四（野田の醤油煎餅などを売っています）

「コメ・スタ野田市本店」野田市堤根二三八（イタリア家庭料理。醤油を使った野田市のピッツァなどがあります。二〇二〇年一〇月放送のテレビ東京「モヤモヤさまぁ～ず2」でも取り上げられていました）

「下総野田醤油の里」野田市花井一九四（本来は酒店なのでしょうか。下総野田醤油ロールケー

キなどがあります。二〇二〇年一〇月放送のテレビ東京「モヤモヤさまぁ～ず2」でも取り上げられていました）

○**柏市**

「Le Couple」柏市柏三丁目九ー二〇（フランス料理の名店）

「知味斎」柏市柏三丁目九ー二〇（チンゲンサイを広めたお店）

「ルンビニ柏店」柏市柏三丁目三ー一六（柏レイソルファンが集うネパール・アジア料理店）

○**流山市**

「machimin」流山市流山一丁目二六四（コミュニティスペイス兼観光案内所。みりんクッキーなどが売られています）

「清水屋」流山市流山二丁目二六（明治時代創業の和菓子の老舗。陣屋もなかなどが名物。建物も国登録有形文化財）

「Les Temps Plus」流山市市野谷五四三ー一（フランス菓子の有名パティスリ）

○**我孫子市**

「弥生軒」我孫子市本町二丁目一我孫子駅（我孫子駅プラットフォームに複数店舗。唐揚そばが名物）

「う多川（うだがわ）」我孫子市白山一丁目三－五（鰻の老舗。やはりうな重か）

「あびこ農産物直売所あびこん」我孫子市高野山新田一九三手賀沼親水広場・水の館（農産物や我孫子の土産物「我孫子市ふるさと産品」を販売しています）

○**鎌ケ谷市**

「鎌ケ谷ブランド館」鎌ケ谷市新鎌ケ谷二丁目七－一イオン鎌ケ谷ショッピングセンター（鎌ケ谷のふるさと産品を売っています）

「Cake 工房ら・セーヌ」鎌ケ谷市くぬぎ山一丁目一三－九（梨ブランデーケーキ（梨のときめき）や梨わいんケーキなど、梨を使った焼菓子があります）

「鎌スタ☆キッチン」鎌ケ谷市中沢四五九ファイターズ鎌ケ谷スタジアム（球場内売店。ハムカツのハム☆勝カレーなどがあります）

○**浦安市**

「(有) 越後屋焼蛤店」浦安市猫実五丁目一八－一九（焼あさりやはまぐりの串のお店）

「さつまや」浦安市猫実四丁目一六－二四（焼あさりやはまぐりの串のお店）

「カフェレストランすてんぱれ」浦安市猫実一丁目二－七浦安市郷土博物館（浦安市郷土博物館に併設。あさり丼などがあります）

参考文献

『あなたはどっち? 千葉都民　千葉県民』マイクロマガジン社・二〇一九年
荒木知「小金城址を歩く」『松戸史談第五九号』松戸史談会・二〇一九年
五十嵐泰正・開沼博編『常磐線中心主義』河出書房新社・二〇一五年
石井進・宇野俊一編『千葉県の歴史』山川出版社・二〇〇〇年
泉麻人『東京23区物語』主婦の友社・一九八五年
伊勢サトシ・細川恵太編『これでいいのか松戸と柏』マイクロマガジン社・二〇一九年
伊勢サトシ・細川恵太編『これでいいのか千葉県　東葛・葛南』マイクロマガジン社・二〇二〇年
磯崎憲一郎『世紀の発見』河出書房新社・二〇一二年
上田秋成・鵜月洋訳注『改訂　雨月物語　現代語訳付き』KADOKAWA・二〇〇六年
尾崎正明監修・鶴見香織著『もっと知りたい　東山魁夷　生涯と作品』東京美術・二〇〇八年
乙川優三郎『さざなみ情話』朝日新聞社・二〇〇六年
川名登編『房総と江戸湾』吉川弘文館・二〇〇三年
曲亭馬琴作・白井喬二訳『現代語訳　南総里見八犬伝』河出書房新社・二〇〇四年
久保田正文『日蓮』講談社・一九六七年

小泉武夫『醤油・味噌・酢はすごい』中央公論新社・二〇一六年
越谷オサム『陽だまりの彼女』新潮社・二〇一一年
小杉光太郎『普通の女子校生が【ろこどる】やってみた。❶』一迅社・二〇一三年
小林計一郎『小林一茶』吉川弘文館・一九六一年
笹山晴生他『詳説日本史』山川出版社・二〇一五年
佐藤亮一編『全国方言辞典』三省堂・二〇〇九年
志賀直哉『和解』新潮社・一九四九年
『週刊スパ』扶桑社・二〇二〇年一一月一〇日号
菅原孝標の娘・西下経一校注『更級日記』岩波書店・一九三〇年
鈴木ユータ編『これでいいのか千葉県』マイクロマガジン社・二〇一九年
総務省統計局『社会生活基本調査』二〇一六年
総務省統計局『平成三〇年住宅・土地統計調査』二〇一九年
祖父江孝男『県民性』中央公論社・一九七一年
高橋陽一『キャプテン翼　1巻』集英社・一九九七年
竹内誠他『東京都の歴史』山川出版社・一九九七年

武光誠『県民性の日本地図』文藝春秋・二〇〇一年
太宰治『人間失格　グッド・バイ　他一編』岩波書店・一九八八年
『地図で楽しむ本当にすごい千葉』宝島社・二〇二〇年
千葉県教育庁編『千葉県歴史の道調査報告書二　成田街道』一九八七年
千葉県経済同友会『新型コロナウィルスの感染拡大の企業経営への影響調査（速報）』二〇二〇年
手塚純子『もしわたしが「株式会社流山市」の人事部長だったら』木楽舎・二〇二〇年
農林水産省『二〇一八年漁業センサス』
浜岡賢次『浦安鉄筋家族①』秋田書店・一九九三年
松戸市役所『松戸市史中巻近世編』一九七八年
『松戸町誌・小金町誌（大正六年）―付　松戸案内　大正四年―』松戸市役所・一九六四年
村上春樹『1Q84　BOOK1〈4月―6月〉前編』新潮社・二〇一二年
森沢明夫『きらきら眼鏡』双葉社・二〇一八年
山下龍夫『47都道府県ケンミン性の秘密』幻冬舎・二〇一四年
山本周五郎『青べか物語』新潮社・一九六四年

【著者紹介】
荒木　知（あらき さとる）
千葉県在住
元熊本国税局調査査察部長
一橋大学博士（経営法）
著書に『国際課税の規範実現に係るグローバル枠組み』
（法令出版・2017年・日税研究賞奨励賞）等

千葉都民のまちを歩くと

2021年 4月3日　初版第1刷発行
著　者　荒木知
発行者　鎌田順雄
発行所　知道出版
〒101-0051 東京都千代田区神田神保町 1-7-3 三光堂ビル
TEL 03-5282-3185 FAX 03-5282-3186
http://www.chido.co.jp
印　刷　音羽印刷

ISBN978-4-88664-342-1